CW00419822

ISBN 978-0-260-93252-5
PIBN 10989850

ALTFRANZŒSISCHE LIEDER

UND LEICHE.

VON

WILHELM WACKERNAGEL.

BASEL.

SCHWEIGHAUSERISCHE BUCHHANDLUNG.

M.DCCC.XXXXVI.

8.

In der Schweighauser'schen Buchhandlung sind erschienen und können durch alle Buchhandlungen bezogen werden:

Gedichte

von

K. R. Hagenbach.

2 Bände.

8. 1846. geh. fl. 4. oder Rthlr. 2. 12 gr.

Der Herr Verfasser hat sich durch das fünfzigjährige Doktorjubiläum seines Vaters, des hochverdienten Arztes Karl Friedrich Hagenbach, bestimmen lassen, eine Sammlung seiner Gedichte zu veranstalten. Welch' reicher Schatz in ihnen dem Leser geboten wird, zeigt ein Blick auf den Inhalt.

Band I.

Geistliches.
1. Festlieder und Festgedichte.
2. Lieder zu Bibeltexten.
3. Kirchenlieder zu besondern Anläßen.

Luther und seine Zeit.
1. Lehr- und Jugendjahre.
2. Krieg und Sieg.
3. Ehe- und Hausstand, Stillleben und Tod.
4. Zeitbilder und Zeitgenossen.

Band II.

Lieder. Sprüche. Gleichnisse.
Sagen und Erzählungen.
Natur- und Wanderbilder.
Aus der Haus- und Kinderwelt.
Todtenkränze.

Wir bedienen uns zur Charakterisirung dieser Gedicht-Sammlung des Ausspruchs eines kompetenten Beurtheilers: „Wenige athmen so wie diese, was jedes menschliche Herz berühren muß, die Gemüthlichkeit, und man kann hier lernen, was Gemüth sei. Ueberall, in all' diesen Gedichten, eine religiös-sittliche Stimmung, die das Herbste mildert, die den Scherz veredelt, die auch dem Gewöhnlichsten die Weihe eines höhern Sinnes, die Allen einen innigen Bezug auf das gottbeseligte Menschenherz giebt."

Noch bemerken wir, daß des Verfassers berühmtes Werk „Luther und seine Zeit" dieser Sammlung in vermehrter und verbesserter Gestalt einverleibt ist.

ALTFRANZŒSISCHE LIEDER UND LEICHE

AUS HANDSCHRIFTEN ZU BERN UND NEUENBURG.

MIT GRAMMATISCHEN UND LITTERARHISTORISCHEN ABHANDLUNGEN

VON

WILHELM WACKERNAGEL.

BASEL.

SCHWEIGHAUSERISCHE BUCHHANDLUNG.

M.DCCC.XXXXVI.

ORREDE.

Zu allervorderst muss ich den Herren Albert Jahn, Bibliothecar zu Bern, und August Matile, Staatsrath und Professor zu Neuchâtel, auch öffentlich für die grosse Gefälligkeit danken womit mir dieselben zur Benutzung der zwei Handschriften behilflich gewesen aus denen die Lieder und Leiche der vorliegenden Sammlung S. 3—85 und S. 185—188 sowie die Dichter- und Gedichtverzeichnisse auf S. 88—103 und 106—113 geschöpft sind. Ueber die Art wie ich beim Abdruck jener Gedichte verfahren, über die Gründe weshalb ich den Originalen so buchstæblich gefolgt bin, gebe ich auf S. 121 und 122 Rechenschaft.

Von den begleitenden Abhandlungen sagen die zwei ersten was erforderlich schien über Beschaffenheit und Werth sowohl der Bernerischen Handschrift als der Auswahl die ich daraus zu treffen gesucht. Dabei muss ich jezt sehr bedauern ein vorzügliches Werk deutschen Forscherfleisses erst kennen gelernt zu haben als dieser Theil meiner Arbeit bereits gedruckt war; es hat aber deren Druck schon im J. 1843 begonnen. Ich meine ADELBERT KELLERS Rômvart von 1844 mit ihrer reichen Lese aus den Liederhandschriften des Vaticans. Ich bin nun allerdings nicht der erste mehr (vgl. S. 114) der in neuerer Zeit und in Deutschland so viel altfranzœsische Lieder bekannt macht. Indessen auch jezt noch glaube ich den Vorzug grœsseren Reichthums, besserer Texte, reinerer Sprachformen für die Handschrift von Bern, und für meine Mittheilungen daraus den Werth einer fast durchgängigen Neuheit ansprechen zu dürfen.

Die übrigen Abhandlungen sind theils linguistischen, theils litterarhistorischen Inhaltes. Die ersteren vielleicht trocken für Manchen und unerquicklich durch die Aufzählung und Combinierung von tausend Einzelheiten: mir selber ist das linguistische Studium in der Weite und Hœhe, zu welcher namentlich FRANZ BOPP und JACOB GRIMM es erhoben haben, stæts eine Quelle religiœser Andacht gewesen; auch aus diesem engen Abschnitt desselben kann ich nicht ohne Scheu und Ehrfurcht empor und von ihm hin auf das grœssere reichere Feld unsrer Deutschen Zunge blicken. Die Romanischen Sprachen, wie sie aus den Trümmern der Rœmischen hervorgewachsen, sind sie besonders ein überzeugender Beweis der Analogie die zwischen dem Wirken der Natur und dem des Menschengeistes besteht, der Gleichmæssigkeit mit welcher in beiden Gott waltet und sich offenbart. Denn auch in der Natur giebt es keine Zerstœrung, sondern nur Veränderung, nur ein Eintreten neuer, ein neu sich gestaltendes Schaffen der alten Gesetze. Zugleich aber, da die Romanischen Sprachen mehr dem Bewusstsein und der Willkür der Menschen anheimgestellt waren, welche Menschen-Aermlichkeit und Unbehilflichkeit hier gegen die Kraft, den Reichthum, die Geschmeidigkeit der Germanischen und aller jener Sprachen, an deren Schöpfung der Mensch keinen Theil hat, deren Ursprung ein wunderbares Geheimniss bedeckt, deren Worte zugleich mit den Dingen welche sie benennen erschaffen sind.

Die litterarhistorischen Excurse geleiten die Kunstlyrik der Volkssprachen auf ihrem Wandergange durchs Mittelalter bis an das Ende, von der Provence nach Frankreich, von Frankreich nach Deutschland, von Deutschland nach Italien. Geflügelten Schrittes ist sie von Land zu Lande gezogen: drei Menschenalter nur liegen zwischen Wilhelm IX Grafen von Poitiers und Kœnig Friedrich II. Nach Italien zuletzt und zum langsamsten Wachsthum: diesem Lande kamen die vollendenden Meister erst mit dem vierzehnten Jahrhundert, und seine Poesie sollte noch im Mittelalter leben, als anderswo die alte Kunst schon weit entschwunden und die Neuzeit längst im Beginnen war. Kern und Mittelpunkt aber dieser Erörterungen ist mir der Nachweis der geschichtlichen Stellung welche die altdeutsche Lyrik einnimmt, des passiven Verhältnisses derselben hier zu der altfranzœsischen, dann des activen zu der altitaliænischen Lyrik. Vielleicht dass ich damit dem Nationalstolz ins Auge greife: lieber jedoch ihm als der geschichtlichen Wahrheit. Unsre Litterarhistoriker pflegen nicht genug in Anschlag zu bringen dass wir Deutschen ein Volk von Nachkommen und Nachbarn sind, Nachkommen der Rœmer, Nachbarn der Romanen, letzteres zumal in der Blüte der mittelalterlichen, ersteres in der neuern Litteratur, die ja unmittelbar sich anschliesst an die Wiedererweckung der antiken. Ein rechter Nationalstolz übrigens würde erwægen wie Deutschland eben nur dadurch, dass es all die beste Kraft alter und neuer Welt in sich aufnimmt und verarbeitet, zu deren Herzen gesetzt ist.

So muss, wenn das Studium der deutschen und das der romanischen Litteraturen zu sicheren und wahrhaften Erfolgen führen soll, eines an der Hand des andern gehn; schon die beiderlei Sprachen, da auch zwischen ihnen die engsten Bezüge walten, können für eine Betrachtung mehr wissenschaftlicher Art einander nicht entbehren. Wenigstens mir sind einige der bedeutendsten Erscheinungen in der Entwickelungsgeschichte beider erst durch die hin und her schauende Zusammenstellung verständlich, ja zum Theil erst durch diese sichtbar geworden: dahin rechne ich namentlich was S. 144 fgg. über die Lautangleichung vorgetragen oder vielmehr nur im Auszug angedeutet ist: ich glaube damit die streitige Lehre vom Umlaut unter einen neuen, mehr umfassenden und vielleicht nicht den unrechten Gesichtspunkt gerückt zu haben.

Und nun zum Schlusse des Vorwortes Dank wie zu dessen Beginn: ein Dank an Friedrich Diez und an Ferdinand Wolf für die Förderung die auch meiner Arbeit durch ihre tiefeingehenden Forschungen über Sprach- und Litteraturgeschichte der Romanischen Völker geworden ist. Ich nenne aber diese zwei und danke ihnen hier im Vorwort um so mehr, weil sie im Buche selbst nur wenig genannt sind: es musste mir dort daran liegen, kurz zu sein; ich musste auch, was mehrfach geschieht, von ihnen abweichen dürfen ohne jedesmal den Widerspruch noch mit besondrer Bezüglichkeit zu erörtern: so wenn Diez den organischen Diphthongierungen engere Grenzen setzt, oder die altdeutsche Lyrik nur für unabhängig von der provenzalischen, die italiænische nicht für abhängig von der deutschen erklært, oder Wolf die Geschichte des deutschen Leiches und dessen Verhältniss zum Liede, freilich nach dem Vorgange Lachmanns, anders zurecht legt, als mir erlaubt scheint. Die Kundigen wissen doch dass jede Untersuchung auf diesem Gebiete ausgehn muss von den Untersuchungen Wolfs und Diezens, und im Wesentlichen meist auf das zurückkommen wird, was sie gefunden und geleistet haben; sie selbst aber werden am besten erkennen und mœgen freundlich beurtheilen was an den Aehren sei die ich hinter ihnen her gelesen, und ob ich recht gethan habe die Garben zuweilen anders zu binden als sie.

Basel, am Sonntage vor Neujahr 1846.

W. W.

ZWEIUNDFUNFZIG

ALTFRANZŒSISCHE LIEDER UND LEICHE.

Retruſ aidefroiſ li baiſtairſ

En chambre a or ſe ſiet. labelle beatriſ.
Egaimente ſoi forment. en plorant trait ceſ ſiſ.
Edouſ deuſ conſillieſ moi uraiſ peireſ ihesucriſ.
canſainte canſainte ſeux dugon ſi ken lieue meſ griſ.
et amoillier me doit panre li duſ henriſ.
Bien ſont aſauoreit li mal
con trait por fine amor loiaul.
Laiſſe fait elle en baſ. ke porai deuenir.
coment oſerai ieu dauaut le duc uenir.
car ne lairoie amoi touchier ne auenir.
nul home forſ vgon ſil men loiſt couenir.
bien li douroit de moi menbreir et ſouenir.
Bien ſont.
Dolente ſenſ conſoil com puiſ hair lou ior.
ke premierſ ou dugon lacointance et lamor.
per coi ie perderai lacoentance et lonor.
dou duc ki entreſſait ueult ke laie aſignor.
ainſ maurait ſe ie puiſ cil ki en ot la flour.
Bien ſont.
Kikeuſi fait ſon duel la belle acuer irie.
unſ eſcuierſ lentant ki iert de ſamiſtie.
dauant li eſt uenuſ moult en ot grant pitie.
quant beatriſ lou uoit ſon cuer ait rehaitie.

pues li ait son uoloir et son boen enchairgie.
Bien sont.
Freire uos aueis bien oit mon couenant.
aleis moi dire vgon sens nul arestement.
ken mon peire uergier latandrai sous laglent.
gairt soi ca cest besoing nel truisse mie lent.
damoiselle sait il tout a uostre comant.
Bien sont.
Liescuers uait tant. kil ait troueit vgon.
la uie beatris ala belle faisson.
li contait abries mos de polie raixon.
et quant li cuens entant son uoloir et son bon.
de ioie li tressaut ces cuers en paunexon.
Bien sont asauoreit.
Tantost kil pout parleir ait dit alescuier.
amis ozes me tu por uoir dire et noncier.
ke belle beatris ueult kelaie amoillier.
et kelle matandrait enson peire uergier.
sire bien le uos os et dire et fiancier.
Bien.
Grant ioie en ot li coens ki dameir iert espris.
I. cheueliers de son consoil ait pris.
monteir les fait sors les cheualz de pris.
per nuit en est torneis quant il fut auespris.
per ceu ke nulz nen soit coneus ne repris.
Bien sont.
Il ont tant cheuachiet lanuit et loudemain.
ca uespre sont uenut sous lou uergier aplain.
vgues tressaut lou mur. trueue en .i. leu soutain.
samie beatrit se la preut per la main.
et dist deus or ait tout quant ie mamie en main.
Bien sont.
Hugues dist beatris ke fereis uos de moy.
prandre me ueult li dus henris se men effroi.

enſainte ſeux de uoſ ſe uoſ requier et proi.
ſonkeſ ot en uo corſ ne loiaulte ne ſoi.
ke uoſ men porteiſ toſt car nul millor ni uoi.
Bien ſont.
Doucement ait li coenſ ſon gent enbraiſſie.
per amorſ ſe ſont tuit andui entrebaiſſie.
ke moult ont lor anuit illuekeſ abaiſſie.
del uergier ſont iſſuit ke ni quiſſent congie.
tant poenne lor cheual ke il ſont aloignie.
Bien ſont.
Iuſca palaix hugon ni uorent areſteir.
illuekeſ repoſait beatriſ a uiſ cleir.
grant ioie et grant deſduit orent aleſſambleir.
tant ſantreaimment entreauſ loialment ſenſ ſauceir.
ke lunſ lautre ne ueult ſon uoloir reſuſeir.
Bien ſont.
Li duſ henriſ lou ſot. moult en ſut eſmaieſ.
apeire beatriſ en uint touſ correcieſ.
fieremant li ait dit com unſ honſ enraigieſ.
tolut maueiſ mamie ſen auanrait meſchieſ.
abugon en ſerait encor copeiſ li chieſ.
et uos auſi per deu enſereiſ deſchaicieſ.
Bien ſont aſauoreit.
Quant li ſireſ lentant doucement reſpondi.
ſire teneiſ ma foi loiaulment uoſ pleui.
vgueſ la mait emblee airſoir la me toli.
helaiſ ce diſt li duſ com or mait mal hailli.
muels amaiſſe eſtre morſ kil len portaiſt enſi.
deuſ damorſ ke ſerai uien auant ſi moci.
Bien ſont.
Sire ce diſt lameire ne uoſ deſconforteiſ.
abeatriſ ma fille maix ne recouerreiſ.
por deu laiſſies vgon auoir ceſ amiſteiſ.
anſoiſ lamait de uoſ ke treſ bien lou ſaueiſ.

dame ce diſt liduſ tout ceu eſt ueriteiſ.
maix ſamor me deſtraint dont ie ſui enflameiſ.
Bien ſont.

Li duſ eſt remonteiſ de ioie meſ et ueuſ.
en ſa terre reuint a moult pouc de deſdut.
maladeſ eſcouchait ſicom liſtore truiſ.
dune teil maladie. dont ne releuait puiſ.
morſ fut por bien ameir. dont ſe fut granſ anuiſ.
et hugueſ ot ſamie ki fut cortoiſ et duiſ.
Bien ſont aſauoreit li mals

.ij.

adeſroiſ li baiſtairſ

Belle yſabiauſ pucelle bien apriſe.
amait girairt et il li en teil guiſe.
kainſ de ſolor ne fut per luj requiſe.
ainſ lamait de ſi bone amor.
ke muelz de li gairdait ſonor.
Et ioie atant girairſ.

Quant plux ſe fut bone amor entre eaus miſe.
per loiaulteit aſermee et repriſe.
en celle amor la damoiſelle ont priſe.
ſui parent et doneit ſignor.
outre ſon greit un uaueſor.
Et ioie atant girairſ.

Quant ſot girairſ cui ſine amor iuſtice.
ke la belle fut aſignor tramiſe.
grainſ et marriſ fiſt per ſa maiſtriſe.
ke aſa dame en .i. deſtor.
ait ſait ſa plante et ſa clamor.
Et ioie atant.

Amiſ girairt naieſ iai couoitixe.
de ceu uoſ loj dout ainſ ne fu requiſe.
pueſ ke ieu ai ſiguor ki maimme et priſe.
bien doie eſtre de teil valour.
ke ie ne doi penſeir folour.
Et ioie atant girairſ.
Amiſ girairt faiteſ ma comandiſſe.
raleiſ uoſ en lī fereiſ grant franchiſe.
morte maurieſ ſo uoſ eſtoie priſe.
meteiſ uoſ toſt en cel retor.
ie uoſ comant acreator.
Et ioie atant.
Dame por deu fait girairſ ſanſ faintixe.
aieſ de moi mercit per uofranchixe.
la uoſtre amor me deſtraint et atixe.
et por uoſ ſeux en teil error.
ke nuls ne puet eſtre en gringnor.
Et ioie atent girairſ.
Quant uoix girairſ cui fine amor ioſtiſe.
ke ſa dolor de noiant napetiſe.
lorſ ſen retorne de duel et dire eſpriſ.
et porquiert enſi ſon ator.
ke il puiſt mouoir abrieſ ior.
Et ioie atant girairſ.
Toſt muet girairſ toſt ait ſa uoie quiſe.
dauant tramet ſon eſcuier deniſe.
aſa dame pairleir per ſa franchiſe.
la dame iert iai por la uerdor.
en .i. uergier cuillir la flour.
Et ioie atant girairſ.
Veſtue fut la dame per coentixe.
moult iert belle graile et graiſſe et alixe.
lou viſ auoit uermoil come ſerixe.
dame fait il ke treſ boin ior

uoſ doinſt. cil cui iain et aour.
Et ioie atent girairſ.

Dame por deu fait girairſ ſanſ faintixe.
doutremeir ai por uoſ la uoie empriſe.
la dame lot muels uolciſt eſtre occiſe.
ſi ſentrebaixent per douſour.
candui cheirent enlerbour.
Et ioie atant girairſ.

Ceſ mariſ uoit la folour entrepriſe.
por uoir cuidait la dame morte giſſe.
leiſ ſon amin tant ſe heit et meſpriſe.
kilpert ſa force et ſa uigor.
et muert de duel en teil error.
Et ioie atant girairſ.

De painexon lieuent deniſe.
et il font faire amort touſt ſon ſeruixe.
li duels remaint. girairſ per sainte eglize.
ait fait de ſa dame ſoixour.
ceu teſmoigne li anceſſor.
Or ait ioie girairſ.

.iij.

Kant uient ou moiſ de mai. kauriſ eſt departiſ.
en un uergier entrai. de nouel iert floriſ.
damorſ me remenbrai. por la belle a cleir uis.
achanteir comenſai. car damorſ lai apriſ.

Douls deuſ por coi ſeux uiſ. muels amaiſſe la mort.
car de celi cui iain naſolaiſ ne deport.
forſ ſeux de ſon paix. ariueiſ amal port.
ie ſai ueraiement ke ien aurai la mort.

Muels amaiſſe .i. baiſſier. de la belle a corſ bel.
et .i. douls embraiſſier perdeſouſ ſon mantel.
ke plain .i. ual dor fin. ne citeit ne chaiſtel.
ne lauòir couſtantin ne me feroit tant bel.
Vos qui treſ bien ameiſ .i. petit mentendeiſ.
por lamor de ihesu leſ pucelles ameiſ.
noſ trouonſ en eſcriſ de ſainte auctoriteiſ.
ke pucelle eſt la flor de loiaulment ameir.
Chanſonnete uai ten tout droit en mon paix.
ala belle diraiſ ke ie ſeux eincor uiſ.
et ke ne ſeſmait paiſ ke ie ſeux ceſ amiſ.
doulz deus quant auerai un ſoul baixier de li.

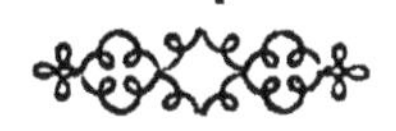

.iiij.

Meſſireſ gaiſes

Qant uoi laube dou ior uenir.
nulle rien ne doi tant hair.
kelle fait de moi departir.
mon amin cui iain per amorſ.
Or ne haiſ rienſ tant com le iour.
aminſ ke me depairt de uoſ.
Ie ne uoſ puiſ de ior ueoir.
car trop redout laperceuoir.
et ſe uoſ di treſtout por uoir.
ken agait ſont li enuiouſ.
Or ne hais rienſ.
Quant ie me gix dedenſ mon lit.
et ie reſgairde en coſte mi.
ie ni truiſ poeut de mon amin.
medixant men ont ſait partir.

ſe meu plaing afinſ amerouſ.
Or ne haiſ rienſ.
  Biauſ douſ amiſ uoſ en ireiſ.
adeu ſoit uoſ corſ comandeiſ.
por deu uoſ pri ne moblieiſ.
ie nain nulle rien tant com uoſ.
Or ne haiſ rienſ.
  Or pri atouſ leſ uraiſ amanſ.
ceſte chanſon uoixent chantant.
enſ en deſpit deſ medixanſ.
et deſ mauaiſ mariſ ialouſ
Or ne haiſ rienſ tant com lou ior.
  aminſ ke me depairt de uoſ.

.V.

Meſſireſ gaiſeſ

Bien cuidai toute mauie
ioie et chanſon oblieir.
maix la conteſſe de brie
cui comant ie noſ ueeir.
mait comandeit achanteir.
or eſt bien droiſ ke ie die
quant li plaiſt acomandeir.
  Ie di ke ceſt granſ ſolie
deſſaier ne deſproueir.
ne ſa feme ne ſamie
tant com on laueult ameir.
ſe ſe doit on bien gairdeir.
denquerre per ialouſie.
ceu com ni uoroit troueir.

Comant ke chant ne ke rie.
ie deuſſe muels ploreir.
quant la muedre meſt ſaillie.
car quant ie ueul muelz pairleir.
et ali mercit crier.
lorſ me diſt per contralie.
quant ireiſ uoſ outre meir.

Se elle eſt damorſ eſpriſe.
malement li ait menbreit.
comant iai aſa deuiſe
ſenſ nul contredit eſteit.
maix eſpoir ceu mait greueit.
com ne cognoiſt biaul ſeruixe
tant con ait autre eſproueit.

Aillorſ ait ſentence miſe.
ſi mait laiſſie eſgareit.
maix iai ſa fiere coentixe.
ne uoincrait ma loiaulteit.
iai tant ne maurait ſaceit.
ke celle iere acent repriſe
ſe la panroie iaigreit.

Bien deuſſe auoir conquiſe.
ſamor ama uolenteit.
por ceu ke iai ſenſ faintixe.
touſ iorſ loiaulment ameit.
or ne mait paiſ en uilteit.
por la fieure ke mait priſe.
ke ien guerrai en eſteit.

.vj.

En dist camorf eft douce chofe.
maix ie nen cognoix la doufor.
toute ioie ait en li enclofe.
nainf ne fenti nuls bienf damors.
laiffe mef mals ne repofe.
fe men plaing et faif clamor.
mar eft batuf ki ploreir nofe.
nen plorant dire fa dolor.
fef duelz li pairt ki fofe plaindre.
plux toft en puet fon mal eftaindre.
De ceu me plaing ke mait traie.
fen ai trop grant duel acoilli.
quant ie ke feux loiaul amie.
ne truif amor en mon amin.
ie fui aincoif de li baiffie.
fe le fix de mamor faixi.
maix teils baixe ki nenme mie.
baixier ont maint amant trait.
Eftre cuidai de li amee.
quant entre cef braif me tenoit.
com plux iere damorf greuee.
afon pairleir me refaiffoit.
afauoir iere fi fanee.
com priamuf quant il moroit.
naureif en fon flanc de fefpeie.
a nom tifbe lef ieuf ouroit.

.vij.

liroif amaris de creons

Fine amor claime en moi per eritaige.
droit et raixon ke bien et loiaulment.
lont de creonf feruie lor eaige.
li boen fignor ki tindrent ligemenf.
prif et ualour et touf auancemenf.
fen chanterent et ieu tout aufiment
ueul ke de chant et donor me retraie.
et del for plux me met en fa menaie.
de cuer de corf et donor et de uie.
com ama droite et loiaul fignorie.
 Lamenaie de mon droit fignoraige.
ain tant et prix ke de li foulement.
atant et croi defioir mon coraige.
tous biens per droit et eft droif catrement.
neft nuls fins biens euf entierement.
fens grant ioie plux catoute autre gent.
loiaul amor douce dame ueraie.
et quant neft nuls ke grans bienf fens ioie aie.
fols eft dont cil ken auoir ne fe fie.
per cui touf bienf et ioie monteplie.
 Teil ioie auoir ne doit en cuer uolaige.
ki per tout proie et per tout faintement.
et tout conquiert per fon fafant lingaige.
lui face ieu fa faintixe et dement.
car teils ceu eft li defirs con atent.
couient eftre la ioie con enprent.
por coi neft droif ne raixonf keftre doie.
damorf euft icelle haute ioie.
ki atouf uault et auance et aie.
fe for tout neft defiree et cherie.

Tref bien cognoist dame entandauf et faige.
fon la proie de cuer ou faintemant.
af faif af dif afamblant a uifaige.
car fi com feux treftous fienf quitement.
faiche def mals com bien fai ne coment.
uerf li meftuet afaire eil kenfiment.
plux faigement efchuier lef en doie.
car fenf de guille aguilleir gilleir guille auoie.
plux fubtilment et muels per fa maiftrie.
per traixon cuide om trair traie.
Douce dame prouf et uaillanf et faige.
ki ameif ioie et mainteneif iuuent.
ie uof ueul dire en chantant mon coraige.
ie nel uof of defcourir autrement.
quant ie remir uoftre uiaire gent.
et uo gent corf de cui traif grant torment.
plux ai de mal ke cil ki ueft la haire.
douce dame tout ceu uof doit defplaire.
quant ie ceu fent por uoftre compaignie.
bien me doureif faire ioie merie.
Et per teil gent prift elle mon homaige.
por foi fieir en moi celleement.
amorf en ait mon fin cuer en oftaige.
en fa prixon lait bien et fermemant.
gairdent le gairdef en cui plux finement.
fe fie amorf de gairdeir ceauls ke prant.
ceft loiaulteif ke gairde et ke maiftrie
touf ceauls forf cui fine amor figuorie.
ce neft paif droif com lef puift fauceir mie.
quant teil garde ait teil oftaige embaillie

.viij.

Creſteien de troieſ

Amorſ tenſon. et bataille.
uerſ ſon champion ait priſe.
ke por li tant ſe trauaille.
ka deſranier ſa franchiſſe.
ait toute ſentente miſe.
neſt droiſ ca ſa mercit faille.
maix elle tant ne lou prixe.
ke de ſaide li chaille.
Ki ke por amor maſaille.
ſenſ lowier et ſenſ faintiſe.
preſ ſui ken leſtor men aille.
ke bien ai la poene apriſe.
maix ie crien ken mon ſeruixe.
guerre et aiue li faille.
ne ueul eſtre en nulle guiſſe.
ſi franſ ken moy nait ſa taille.
Nuls ſil neſt cortoiſ et ſaigeſ.
ne puet rienſ damorſ aprendre.
maix teilz en eſt li uſaiges.
dont nulz ne ſe ſeit deſſendre.
kelle ueult alautre uendre.
et keilz en eſt li paiſaigeſ
raixon li couient deſpendre.
et metre meſure en gaige.
Fols cuerſ ligierſ et uolaigeſ.
ne puet rienſ damorſ aprendre.
teils neſt paiſ li mienſ coraigeſ.
ki ſert ſenſ mercit atandre.
ainſ ke mi cuidaiſſe prandre.
ſui uerſ li durſ et ſauaigeſ.

or me plaiſt ſenſ raixon rendre.
ke ceſt prouſ ſoit meſ damaiges.
Moult mait chier amor uandue.
ſonor et ſa ſignorie.
kalentree ai deſpendue
meſure et raixon guerpie.
lor conſouſ ne lor aiue.
ne me ſoit iamaix randue.
ie lor ſaul de compaignie
ni aient nulle atendue.
Damorſ ne ſai, nulle iſſue.
ne iai nulz ne la me die.
muer puet en ceſt mue.
ma plonie toute ma uie.
ſai en celi matendue.
ke ie crien ke ne mocie.
ne por ceu cuerſ ne remue.
ſe merciſ ne men aiuwe.
et pitieſ ki eſt perdue.
tant iert la guerre ſenie.
ke iai lonctenſ maintenue?

.viiij.

Creſtieins de troies

De iolit cuer chanterai
bone amor men prie.
et touſ iorſ iolif ſerai.
et ſenſ uelonnie.
car tuit bien uienent damoir.
por ceu ainſ ſens ſauceteit.

ne iai por chaiſtiement.
meſ ſinſ cuerſ ne ſe tenrait
dameir iolietement.
Lieſ et renuoixieſ ſerai.
por uoſ douce amie.
et ſaichieſ tant com uiurai.
en uoſtre baillie.
ueul eſtre ſenſ iai ſeureir.
car ou mont nait uoſtre peir.
et tuit bien entierement.
ſont en uoſ ſi en morai
ſe ie nai aligement.
Belle dame en uoſ ai miſ.
cuer et corſ et uie.
ne iai ne men pertirai.
nul iour de ma uie.
maix ie uoſ ueul demandeir.
ke mediſſanſ eſcouteir
ne ueullieſ. en uo viuant.
car iai franſ cuerſ namerait
vanteor ne meſdixant.

.x.

creſtiein de troieſ

Damorſ ke mait tolut et moy.
na li ne me ueult retenir.
me plaing enſi cadeſ otroi.
ke de moi faice ſon plaixir.
et ſe ne me repuiſ tenir.
ke ne men plaigne et di por coi.

ke ceauls ki la traixent uoi.
fouent alor ioie uenir.
et ie mur por ma bone foy.
Amors por effancier faloi.
ueult cef anemif retenir.
de fen li uient fi com ie croi.
cafienf ne puet elle faillir.
et ieu ke. ne men, puif partir.
de la belle a cui ie fouploi.
mon cuer ki fienf eft li enuoi.
maix de noiant la ueul feruir.
fe ceu li rent ke ie li doi.
Dame de ceu ke uoftre fui.
ditef moi fe greit men faueif.
ne nil fe onkef uof conu.
ainf uof poife quant uof maueif.
et def ke uof ne me uoleif.
dont feux ie uoftref per anui.
maix fe iai deueif de nulluj.
mercit auoir dont me fouffreif.
ke ie ne fai ameir autruj.
Onkef del bouraige ne buj.
dont triftanf fut enpoifonneif.
maix plux me fait ameir ke luj.
amorf et bone uolenteif.
fe ne men doit fauoir mal greit.
quant de rienf efforcief nen fuif.
forf de tant ke mef ieuls encru.
per cui feux en la uoie entreif.
dont ains niffi ne ne recruj.
Cuerf fe ma dame ne tait chier.
iai por ceu ne la guerpiraif.
adef foief en fon doingier.
def kenprif et comenciet laif.

iai mon ueul ne ten partiraiſ.
ne por delai ne teſmaier.
bien endouciſt per delaier.
et quant plux deſireit lauraiſ.
plux ſerait douls aleſſaier.
Mercit trouaixe el mien cuidier.
celle fuiſt en tout le conpaſ.
del monde lai ou ie la quier.
maix ie croi kelle ni eſt paiſ.
onkeſ ne fine ne ne ceſ.
de ma doulce dame proier.
proi et reproi ſenſ de laier.
comme cil ki ne ſeit agaiſ.
amorſ ſeruir ne loſengier.

.xj.

triſtanſ ceſt li laiſ dou chieure ſuel

Per cortoiſie depuel.
ueloannie et tout orguel.
car ceu kont chaiciet mi eul.
lou me ſait mettre ſuſ ſuel.
un lai en eſcuel.
ceſt dou chieure ſuel.
La note douchieure ſuel.
per amorſ comencier ueul.
com cil ki poent ne men duel.
damorſ dont doloir me ſuel.
maix ſil ke rekuel.
damorſ bel akuel.
Amie ie uoſ ſalu.
en mon lai premierement.

douce amie mon ſalu.
preneiſ acomencement.
car moult mait uerſ uoſ ualu.
ceu ke debonairement.
uoſ ait de mamor chalu.
ie ſuiſſe morſ autrement.
Faite maueiſ grant bontei.
douce amie debonaire rienſ.
don iai uoſtre cuer dontei.
ſi ke uoſtre eſt li cuerſ et mienſ.
or ne ſoient maix contei.
li mal dont iai ſi eſtei eſprienſ.
ka grant prout me ſont montei.
ie ne quier maix plux de touſ leſ bienſ.
Ie ne quier nulle autre choſe.
nautre bien nautre deſduit.
forſ ke de uoſ toz iorſ ioie.
ca nulle rienſ plux ne luit.
ka ceu ke plaire uoſ doie.
ne ke iai ne uoſ anuit.
ie ſeux belle ou ke ie ſoie.
uoſtre amiſ et ior et nuit.
Iai meſ cuerſ ne ſe partrait
de uoſ maix en ma uie.
et ſil ſen pairt keil pairt irait.
ſe ſai chieſ douce amie.
ke ſil ſen pairt il pertirait.
de ceu ne dout ie mie.
mal debait ki departirait
ſi douce compaignie.
Ne ſait mie adepartir
deuſ noſ en deffende.
ainſ puiſſe meſ cuerſ partir.
ke li uoſtre itande.

muels faice on de moi martir.
ke iai ientande.
e ki nof ueult departir
male hairt lou pande.
Amie entre uof et moi
nait ne guerre ne defcort.
douce amie per la foi
ke ie uoftre amif uof port.
et port et porteir uof doi.
iai per moi ne per mon tort.
ne por rienf ke ie foloi.
ne ferai uerf uof. refort.
Iai en moi ne pecherait.
ke iaie uoftre courrouf.
lef bienf ai ie touf et fai.
et lef delif ai ie touf.
kan ke dame deus guia.
et laifuf et faidefouf.
Onkef ahome uiuant.
nauint maix fi bien dameir.
tant con vantent tuit li vent.
delai et defai la meir.
dame mercit uof en rent.
quant de uof me puiffe loeir.
com fil ki nul mal nefent.
ne uerf uof nait poent dameir.
Nanelui ne port enuie.
de rien ki foit en ceft mont.
ke ie ne quier plux en mauie
de touf lef bienf ki ifont.
forf que uoftre amor amie.
lai dont vienent et ou uont.
mi penfeir fenf uelonnie.
ke font per uof quan kil font.

Douce plux douce ke miaſ.
por uoſ fut faiſ touſ nouiaſ
ciſt laiſ ki eſt boenſ et biauſ
et ſil en uielliſt ſoit uials.
touſ iorſ plairait maix.
aſ clerſ et aſ laiſ.
ſe ſaichent ione et viauſ.
ke por ceu ke chieure ſiauſ.
eſt plux douſ et ſlaire mials.
kerbe ke on uoie aſ eauſ.
ait nom ciſt douls laiſ.
chieure ſuels li gais.

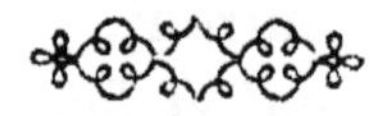

.xij.

Abuinſ deſanene

lourſ ne uerdure de prei.
ne chanſ doixels ne magree.
por ceu cai lonc tenſ eiſtei.
forſ de ma douce contree.
maix bien ſaichieſ deſirree.
kainſ ni out faucei.
ſen ai lamor mercie
ke del cuer me muet.
Bien uoi ke faire leſtuet
nuls conforſ ualoir ni puet.
Ioi chaſcun dire et conteir.
kil ueult bien camorſ locie.
maix ceu ne dirai paiſ ie paiſ.
ke morir ne ueul ie mie.
ainſ ain muels coi ke nuls die.

uiure et bien ameir.
et feruir ma douce amie.
ke del cuer me muet.
Bien uoi.
Sainf auint a home nei.
ke ioie li fuft doneie.
por ceu keuft bien amei.
deuf ou eft amor alee.
certef ke ie lai amee.
de teil uolentei.
kainf ne pout eftre trouee.
et del cuer me muet.
Bien uoi.
Ie fui li finf defirans.
ke ne puet fa ioie taire.
por mouftreir maluaix femblant.
dont pluxor ont grant contraire.
panfeir ala debonaire.
meft ioie fi granf.
ceft liplux de mon afare.
ke del cuer me muet.
Bien uoy.
Chanfon lai teftuet aleir.
dont iatent fi grant aie.
ne ueul plux per toi mandeir.
maix bien la lofenge et prie.
quant ferai en fa baillie
com porai dureir.
faurai ioie de mamie.
ke del cuer me muet.
Bien uoi ke faire leftuet.
nuls conforf ualoir nipuet.

.xiij.

Guios de prouins

Contre le nouel tens.
ke florissent sil bruel.
chanterai louc mon sen.
de celi dont me duel.
plux lain ke ie ne suel.
ca la plux belle pens.
cains ueissent mi eul.
Quant premiers resgairdai.
son gent cors et son uis.
a mes euls esprouai.
kestoie ces amis.
si isui ententis.
ke tout ades cuidai.
ke fuisse el cerne mis.
Amors a si grant tort
me faites mal soffrir.
cil orent boen confort.
ki sont mort sens languir.
lais tous iors la desir.
et ades ma mort uoi.
et ce ne puis morir.
Ie lain tant et desir.
por sa fine biaulteit.
malgreit mien men estuet
dauant la gent ploreir.
por ceu puet on proueir.
ke de bone amor muet.
ceu con ne puet celleir.
Adeleros mestier
mont atorneit amors.
quant de mon desirrier

ne puiſ auoir ſecourſ.
or puex hui eſt li iorſ.
leſ poinſ de leſchaiquier.
doubleir de ma dolor.
Chanſonnete uai ten.
leiſ mamie tenuoi.
dili ke ie li manſ.
cuer et corſ li otroi
celle me porte ſoi.
la loiaulteit triſtant
porait troueir en moy.

.xiiij.

Guioſ de prouinſ

La bone amor ki en ioie me tient.
et li douls tenſ deſteit ki renuerdoie.
et li penſeirſ dont a cuer me ſouient.
me fait ſouent chanteir et moneir ioie.
et mainte foiſ ueult amorſ ke ie ſoie.
meſ et peuſis dolenſ et correſous.
et quant li plaiſt de ligier ſeux ioiouſ.
Vnſ douſ eſpoirſ ki maide et maintient.
contre lorguel ke mociſt et guerroie.
mait conforteit maix ades me couuient.
chier compareir ceu dont ioir uoldroie.
ſe ſeruirai deſiranſ toute uoie.
conkeſ de rienſ ne fui ſi deſirous.
com donoreir ceu dont plux ſeux coitouſ.
Limals ke iai ne uait mie et reuient.
ainſ me deſtraint igaulment et maiſtroie.

el cuer me naiſt et de ma dame uient.
et ſi nen ai paiſ tant com ie uoldroie.
car fine amor me ſemont et auoie.
de li ſeruir dont tant ſeux deſirouſ.
ke plaixanſ meſt ciſt mals et delitouſ.

Neſt paiſ amanſ ſil ki damorſ ſe plaint.
ne ki cuide ke iai uenir li doie.
nuls malz damorſ maix touſ iorſ ſerue et aint.
de cuer uerai ne iai ne ſe recroie.
blaimeir ſe doit cil ke faucement proie.
et cil ki ſont dautrui ioie enuiouſ.
et dautrui bien dolent et correſous.

Per deu amorſ li ſoſpir et li plaint.
et li deſir dont leſperance eſt moie.
mont tant ualut ken ioie meſcuerſ maint.
por ceu fait boen ſeruir ke boen enploie.
maix ſe ma dame et pitieſ ſi otroie.
de duel moront medixant enuiouſ.
et ie uiurai ioianſ et amerouſ

.xv.

Guioſ de prouinſ

Leſ oxeleſ de mon paix
ai oiſ en bretaigne.
alorſ chanſ meſt il bien auiſ.
ken la douce champaigne.
leſ oi iadiſ.
ſe gi ai meſpriſ.
il mont en ſi douls penſeir miſ.
ka chanſon faire men ſeux pris.

tant ke ie per ataigne.
ceu kamors mait lonc tens promis.
En longue atente me seux mis.
sens ceu ke trop men plaigne.
ceu me tolt mon ieu et mon ris.
ke nuls camors desdaigne.
niert iai atentis.
mon cors et mon uis.
truis si per oures entrepris.
ke sol semblant en ai enpris.
ki ken amors mespraigne.
ie seux cil kains riens ni forfix.
En baixant mon cuer me raui.
ma douce dàme gente.
moult fut fols quant de moy parti.
por li ke me tormente.
lais ains nel senti.
quant de moy parti.
tant doulcement lou me toli.
ken sospirant le traist ali.
mon fol cuer atalente.
maix iai naurait de moy merci.
Del baixier me remenbre si.
ke ie fix en manfance.
kil nest hore ceu mait trai.
ka mes leiures ne sente.
quant elle souffri.
ceu ke ie la ui.
de ma mort ke ne mot gueri.
kelle feit bien ke ie moci.
en ceste longue atence.
dont iai lou uis taint et pailli.
Pues ke me tolt rire et iueir.
et fait morir denuie.

trop ſouant me ſait compaireir.
amorſ ſa compaignie.
laiſ ni ouſ aleir.
car por ſol ſembleir.
me font cil fauls proiant dameir.
morſ ſeux quant ieſ iuoi pairleir.
ke poent de tricherie.
ne puet nulz deauſ en li troueir

.xvj.

guioſ de prouinſ

Ma ioie premerainme.
meſt tornee apeſence.
laiſ ie ne ſai por coy.
maix enſi me deſmainne.
la foiſ et leſperance.
camorſ ait miſ en moy.
doi ſoffrir penitance.
de moy ne ſai nul roy.
forſ ke ma mort iuoi.
Mes ſols penſeirſ mamoine.
la ſole deſirance.
dont ſeux en teil effroi.
kainſ no ioie certainne.
ſenſ keil ke meſeſtance.
ſen fait grant eſtreloy.
amorſ ou ie me croie.
ke mapriſt en manſance.
ſaire ceu ke ne doi.
oieſ com ie ſoloi.

Quant ie muels cuit ataindre.
ioie et bone auenture.
lorſ poroie iureir.
ke londemain eſt grandre.
la dolor et lardure.
ke me fait endureir.
maix ie uoi bien iueir.
ſouent en auenture.
por perde reſtoreir.
or ſoit alendureir.

Samorſ uoſiſt deſtraindre.
ma dame en teil meſure.
bien me peuſt ſaneir.
de ceu dont tant mot plaindre.
maix elle nen ait cure.
ſe me fait redouteir.
en loiaulment ameir.
car iai per tout droiture.
muels uoſiſſe mouſtreir.
montort ſenſ moy greueir.

Douce dame en pouc doure.
ſut ma ioie acomplie.
ſe ieuſſe le don.
ki touſ iorſ me demore.
maix uoſtre ſignorie.
mociſt a deſraixon.
ſont ceſte departie.
loſengier et felòn.
ki iai naient pardon.

.xvij.

guiof de prouinf

Moult me meruoil de ma dame et de moy.
ke fi me tient quant plus feus loing de li.
bien cuit guerir adonc kant ie la uoi.
maix lor doublent li mal dont ie moci.
fi maift deuf trop fiere chofe ait fi.
quant ie morai por tant ke ie lamai.
ie me fi tant enf en ma bone foi.
et en iceu konkef ne li menti.
Mainf en iait ki demandent por coi.
iain celle rien ke nait de moi merci.
il font uilain et de maluaixe loi.
car ie nai paif dame aincor deferui.
lou douls refgairt dont uof maueif faixi.
et lou penfeir dont mef cuerf fefioift.
et cil ki dift ke ie de ceu foloi.
ne me cognoift pais aloiaul amin.
Loiauls amif feux ieu fenf foloier.
dou tout amorf mait fi en fa prixon.
mon corf me fait et tenir chier.
et biaul perleir et entendre raixon.
celle de cui iaitent le gueridon.
ken moi ne truif ne ire ne tenfon.
mon boen efpoir ne uoroie chaingier.
argent ke foit ne a nul autre don.
Cil iangleor nof font grant deftorbier.
ki fe uantent dameir per traixon.
af amans font lor ioie delaier.
et af damef font crueil et felon.
iai dame deuf ne lor faice pardon.
bien mocient fens arme et fens hafton.

quant ie lef uoi enfamble confillier.
maix ma dame ni entant fe bien non.
Chanfon uai tent. tout droit amafcoignoif.
amon fignor lou conte ie li manf.
fi com il eft frans et prouf et cortoif.
kil gairt fon prix et fe lou traice auant.
maix nulle rienf lou conte ne demans.
forf por famor et por ma dame chanf.
ke mait proiet de chanteir en ceft mois.
maix ma ioie me uait moult deleant

.xviij.

guiof de prouinf

Moult aurai louc teuf demoreit.
forf de ma doucé contreie.
et maint grant anui endureit.
en terre mal euree.
por ceu nai ie paif oblieit.
lou douls mal ke fi magree.
dont iaí ne quier auoir fanteit.
tant ai la dolor amee.
Lonc tenf ai en dolor efteit.
et mainte lairme ploree.
li plux biauf iorf ki eft defteit.
me femble noif et gelee.
car ou paix ke ie plux hei.
meftuet faire demoree.
naurai maix ioie en mon aie.
fen france ne meft donee.
Sime doinft deuz ioie et fenteit.
la plux belle ke foit nee.

me conforte de ſai biaulteit.
ſamor meſt el cuer entree.
et ſe iemuř en ceſt penſeir.
bien cuit mairme auoir ſaluee.
cor meuſt or ſon lit preſteit.
deuſ cil ki lait eſpouſee.
Douce dame ne mocieſ
ne ſoieſ cruel ne ſiere.
uerſ moï ke plux uoſ ain caiſſeis.
de bone amor droituriere.
et ſe uoſ enſi mocieiſ.
laiſ trop acheterai chiere.
lamor dont ſi me ſeux greueiſ.
maix or meſt bone et entiere.
Elaiſ com ſeux deſeureiſ.
ce celle not ma proiere.
acui me ſeux ſi doneiſ.
ke ne men puiſ traire ariere.
trop longuement me ſeux celleiſ.
ſe ſont la gent mal parliere.
dont iai nuls ne ferait laiſſeiſ.
de dire mal enderriere.

.xviiij.

Forkeſ de Merſaille ſorpointevin

Tuit demandent keſt deuengue amor.
et o a touſ en dirai la uertait.
tout autreſi com li ſolaiſ deſtait.
ke per touſ leuſ iete ſa reſplandor.
aſoir ſen uait couchair. tout auſimant
ſait bone amor. quant ait pertout ſercait.

et non trueue ke li fie afon grait.
torne fen uait dont mot premieralmant.
Amor lou fait comme le boen oftor.
ki afon uol ne muet ne ne debait.
ainf atant tant con le giçte de grait.
et mot et prent fon oxel quant li for.
enfi amor agaite et atant.
bone done plaixant de grant biaultait.
ou tout li bien del mont font aioftait.
itaul la ueult amorf ni fault de rant.
Quant prif et fenf et prudence et ualor.
et tuit bien fait font en li areftait.
et bone amor por fair fa uolentait.
et lief de ient dofuoiant per almor.
tout autrefi com fafconf ki deffent.
a fon oxel ken lafonbre eft montait.
deffenderie per franke humilitait.
amorf en ceauls ki aimme loiaulment.
Et por ikeu foufferrai ma dolor.
ke per fouffrir font maint gent don donait.
et per foffrir font maint orguel baiffait.
et per fouffrir uoint on lofaniadour.
ouidef dift li libref ke nen ment.
ke per fouffrir ait lon damor fon grait.
et per foffrir font maint tort amandait.
et foffrirf fait maint iraif iofant.

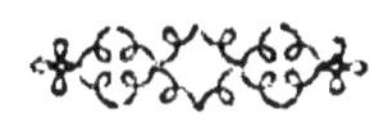

.XX.

Denostre Signour

Jerusalem se plaint et li pais.
ou dame deus soffri mort bonement.
ken iusca meir ait pou de ces amis.
ki de secors li faicent maix noiant.
sil souenist chascun del iugement.
et del saint leu ou il soffri torment.
quant il pardon de sa mort fist longis.
lou descroixier feissent moult enuis.
car qui por deu prant la croix purement.
il lou renoie a ior ke il la rant.
et com iudas saudrait en paradix.

Nostre pastor gairdent mal lor berbis.
quant por deniers chascuns a lous la uant.
maix li pechies les ait si tous sospris.
kil ont mis deu en obli por lairgent.
ke deuanront li riche gairnement.
kil aquastent aisseis uilainnement.
des faus lowiers kil ont des croixies pris.
saichies de uoir kil euseront repris.
se loiaulteis et deus et fois ne ment.
retolut ont et aicre et belleem.
ceu ke chascuns auoit adeu promis.

Ki oserait iamaix en nul sermon.
pairleir enplaice nen moustier.
ne annontier ne bien fait ne perdon.
chose ke pueeut nostre signor aidier.
ala terre conquerre et gaaignier.
ou de son sanc paiait nostre ransou.
signor prelait ceu nest ne bel ne bon.
ke son secors faites tant detrieir.

uoſ aueiſ fait ceu puet on teſmoignier.
de deu Rollant et de noſ guinillon.
Euceluj nait meſure ne raixon.
ki ceu cognoiſt ſil naue auangier.
ceauls ki por deu ſont delai en prixon.
et por oſteir lor amin de dongier.
pueſ com imuert on ne doit reſoignier.
poene nanuit honte ne deſtorbier.
por deu eſt tout kan kon fait en ſon nom.
kil en rendrait chaſcun teil gueridon.
ke cuerſ doine ne poroit eſprixier.
car paradix auerait de lowier.
kainſ por ſi pou not nuls ſi riche don

.xxj.

Maiſtreſ renaſ laiſiſt de noſtre ſignor

POur lou pueple reſconforteir.
ke tant ait ieut en tenebrour.
uoſ ueul en chantant reſconteir.
lou grant damaige et la dolour.
ke li paien ſont outremeir.
de la terre noſtre ſignor.
cel paix deuonſ noſ clameir.
car tuit iironſ a un ior.
Ieruſalem plaint et ploure.
le ſecors ke trop demoure.
A un ior ki le puet ſauoir
trop ai pairleit hardiement.
certeſ ſignor ie uoſ di uoir.
ceu iert a ior del iugement.
de celle terre ſont cil hoir.

ki ont reſut baptiſſement..
ou li fils deu uolt reſeuoir.
por noſ la poene et lou torment.
Ieruſalem plaint et ploure.

Moult per eſt granſ duels quant on pert.
lou urai ſepulcre ou deuſ fut miſ.
et ke li ſaint leu font deſert.
ou noſtre ſire eſtoit ſeruiſ.
ſaueiſ por coi deuſ lait ſouffert.
il ueult eſproueir ceſ amiſ.
ki ſeruiſe li ont offert.
auengier de ceſ anemiſ.
Ierusalem plaint et ploure.

Touſ iert li puepleſ deſuoieſ.
et torneiſ aperdition.
maiſ la croix leſ ait rauoieſ.
et torneiſ a redemption.
ki plux fauſ et li moinſ prixieſ.
puet auoir abſolution.
maix kil ſenuoiſt et ſoit croixieſ.
en terre de promiſſion.
Ierusalem plaint et.

Terre de promeſſe eſt nomeis.
ieruſalem ie le uoſ di.
en bethleem ou deu fut neiſ.
eſt li templeſ ou deuſ ſoffri.
et la croix ou il fut peneiſ.
et le ſepulchre ou ſurrexit.
lai iert li boeuſ luwierſ doneiſ.
a ceauls ki lauront deſeruit.
Ierusalem plaint et ploure.

Ke penſent li roy grant mal font.
cil de france et cil deſ englois.
ke dame deu uengier ne uont.

et deliureir la ſainte croix.
quant il a iugement uanront.
dont lor parrait lor bone ſoit.
ſe deu faillent alui fauront.
il dirait ie ne uoſ conoix.
Ieruſalem plaint et ploure.
PRince duc conte ki aueiſ.
en ceſt ſiecle touſ uoſ auiauſ.
deuſ uoſ ait ſemonſ et mandeiſ.
guerpiſſieſ uilleſ et chaiſtiauſ.
en contre leſpouſ en aleiſ.
et ſi porteiſ oille en uaixiaulz.
ſen uoſ lampeſ eſt feuſ troueiſ.
li gueridonſ en iert moult biauls.
eruſalem plaint et plore.
Elaiſ ne cognoiſſent lor ſen.
ke ſont lampeſ oile deſus.
lampeſ ſe ſont leſ bone genſ.
dont deuſ eſt ameiſ et cremuſ.
ke ſon ſeruixe ſont touſ tenſ.
lai eſt bien alumeiſ li feuſ.
cil irait oleſ innocens
ki en bone oeure iert conxeuſ.
Ieruſalem plaint et ploure
lou ſecorſ ke trop demoure.

.xxij.

liroif richar

Jai nuls honf prif ne dirait fa raixon.
adroitement fenfi com dolanf non.
maix per confort puet il faire chanfon.
moult ai damif maix poure font li don.
bonte en auront fe por ma reanfon.
feux cef .ij. iuerf pris.
Se feiuent bien mi home et mi baron.
ingloif normant poiteuin et gafcon.
ke ie nauoie fi poure compaignon.
ke ie laiffaife por auoir en prixon.
ie nel di paif por nulle retraiffon.
maix eincor feux ie prif.
Or fai ie bien de uoir certainnement.
ke morf ne prif nait amin ne parent.
quant on me lait por or ne por airgent.
moult meft de moy maix plux meft de ma gent
capref ma mort auront reproche grant.
fe longuement feux prif.
Neft paif meruelle fe iai lou cuer dolent.
quant mef firef tient materre entorment.
for li menbroit de noftre fairement.
ke nof feimef anduj communement.
bien fai deuoir ke feans longuement.
ne feroie paif prif.
Se feiuent bien angeuin et torain.
cil baicheleir ki or font riche et fain.
kencombreif feux loing deanf en autrui mains.
forment mamoient maix or ne maimme grain.
de bellef airmef font oref ueut li plain.
por tant ke ie feux prif.

Mes compaignons cui iamoie et cui iain.
cealz de cabeu et ceaulz de percheraim.
me di chanson kil ne sont pais certain.
nonkes uers eaus no le cuer fauls ne uain.
sil me gueroient il sont moult ke uilain.
por tant ke ie seux pris.
Contesse suer uostre pris souerain.
uos fault et gairt cil acui ie me clain.
et per cui ie seux pris.
ie ne di pais de celi de chairtain.
lameire loweis.

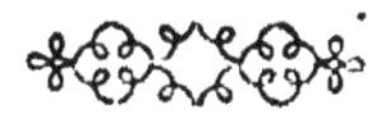

.xxiij.

cunes de betunez

Ay amors com dure departie.
me couient faire aperdre la millor.
ki onkes fust amee ne seruie.
deus me ramainst ali per sa dousor.
si uoirement com ien pairt adolor
deus cai ie dit iai ne men pairt ie mie.
se li cors uait seruir nostre signor.
tous li miens cuers remaint en sa baillie.
Por li men uoix sospirant en surie.
ke nuls ne doit faillir son creator.
ke li faurait a cest besoing daie.
saiche de uoir faurait li agrignor.
et saichent bien li grant et li menor.
ke lai doit on faire cheuelerie.
con en conquiert paradis et honor.
et los et pris et lamor de samie.

Lonc tenſ auons eſtei prou por oxouſe.
or ipairait ki a certeſ iert prouſ.
kil uoiſt uengier la honte dolorouſe.
dont touſ li monſ eſt irieſ et houtouſ.
quant a noſ tenſ eſt perduſ li sainſ leuſ.
ou deuſ por noſ ſoſfri mort engoiſſe.
or ne noſ doit retenir nulle honors.
daleir ueugier ceſte perde hontouſe.
Ki or ne ueult auoir uie anoiouſe.
siuoiſt morir lieſ et bauſ et ioious.
car celle mors eſt douce et ſauerouſe.
ou conkiſ eſt paradiſ et honor.
ne iai deſ morſ nen iaurait .i. ſoul.
ainſ uiuront tuit en vie gloriouſe.
et ſaichieſ bien ke ne fuſt amerouſ.
moult fuſt la uoie et bone et delitouſe.
Tuit li clergieſ et li home deaige.
ki de bien ſais et damoneſ uiuront.
partiront tuit en ceſt palerinaige.
et leſ dameſ ke chaiſtement uiuront.
et loialteiſ porte ceaulz ki iront.
et celleſ ſont per mal conſoil ſolaige.
elaiſ keilz genſ menaſceſ lor ſeront.
car tuit li boen iront en cel uoiaige.
Deuſ eſt aſis en ſon saint heritaige.
or iperrat com ſil le ſecorront.
cui il gitait de la prixon vmbraige.
quant il fut mis en la croix ke tuit ont.
certeſ tuit cil ſont boni ki uiuont.
ſil nont pouerte ou mellee ou maillege.
et cil ki ſain et ione et riche ſont.
ne poront paiſ demoreir ſans hontaige.
Laiſ ie men uoix plorant deſ eulz del front.
lai ou deuſ ueult amendeir mon coraige.

et faichief bien cala millor dou mont.
penferai plux ke ne faif a uoiaige.

.xxiiij.

cunef de betunef

Si uoirement com celle dont ie chant.
ualt muelz ke toutef lef bonef ki font.
et ie lain pluf ke rienf ke foit ou mont.
fi me doinft deuf famor fenf defeuoir.
ke teil defir en ai et teil uoloir.
ou tant ou plux deuf en feit la uerteit.
com li malaidef defire la fanteit.
defir ie li et famor a auoir.

Or fai ie bien ke rienf ne puet ualoir.
tant com celi de cui iai tant chantei.
cor ai ueu et li et fa biateit.
et li fai bien ke tant ait de ualor.
ke ien doi faire et outraige et folor.
dameir li baut ne maueroit meftier.
et nonporcant maint poure cheuelier.
fait richef cuerf uenir ahaute honor.

Ainf que ie fuiffe fopri f de cefte amor.
fauoie ieu autre gent enfignier.
et or fai bien autrui ieu enfignierf.
et fi ne fai mie lou mien iueir.
fi feux com cil ki af efchaf uoit cleir.
et ki tref bien enfaigne lautre gent.
et quant il iue fi per pert fi fon fan.
kil ne fefeit efcoure de maiteir.

Elaif irief ie ne fai tant chanteir.
ke ma dame perfoiue mon torment.

naincor nest pais si grans mes herdemens.
ke ie li oz dire les mals ke trais.
ne dauant li ne noz parleir ne sai.
et quant ie seux aillors dauant autruj.
lors iparouls maix si pou mi desduj.
trestout deuis comant ie li dirai.
Lagrant dolor ke ien trais sens anuit.
ke tant la dout et desir kant giseux.
ke ne li oz descourir ma raixon.
si uait de moi comme dou champion.
ki de lonc teus aprant a escremir.
et quant se uient ou champ a cols serir.
se ne seit riens descut ne de haston.

.XXV.

lirois de nauaire

Tuit midesir et tuit mi griefs torment.
viennent de lai ou sont tuit mi penseir.
grant meruelle ai coment ke toute gent.
ki ont ueu son gent cors lonoreit.
sont si uers li de bone uolenteit.
nes deus laimme iel sai a essiant.
grant meruoille ai quant il sen souffre tant.
Tous ebaihis men uoix et meruillant
ou deus trouait si estrainge biaulteit.
quant il la mist saius entre la gent.
moult nos enfist grant debonaireteit.
trestous li mons en est enlumineis.
en sa ualor sont tuit li bien si grant.
nuls ne la uoit ne uos endie autant.

Bone auenture auaigne fol espoir.
ke les amans fait uiure et resioir.
esperance fait languir et doloir.
et mes fols cuers me fait cuidier guerir.
sil fust saiges il me feist morir.
por ceu fait boen de la folie auoir.
ken trop grant sen puet il bien mescheoir

Souigne uos dame dun douls escuel.
ke iai sut fais per si grant desirier.
nonkes norent tant de pooir mi eul.
ke enuers uos les osaixe lancier.
ne de mabouche ne uos osai proier.
nosai dame dire ceu ke ie ueul.
tant sui cowairs chaitis kencor men duel.

Ki la poroit souent ramenteuoir.
iai nauroit mal ne lesteut guerir.
car elle fait atous ceaulz muels ualoir.
cui elle ueult de boen cuer acoillir.
deus tant me fut grief de li departir.
mercit amors faites li asauoir.
cuers ki naimme ne puet grant ioie auoir.

.xxvj.

Rois de nauaire et sires de uertu.
uos nos dites camors ait grant poissance.
certes cest uoirs et ie lai bien seu.
plux ait de pooir ke nait li rois de france.
ke de tous mals puet doneir aligence.
et de la mort confort et guerixon.
ceu ne poroit faire nuls morteils hon.

camorſ fait bien le riche doloſeir.
et le poure de ioie corroneir.
Deuſ ie lain pluſ ke rienſ ki ſoit el mont.
ſi me doinſt deuſ de meſ mals aligence.
cainſ de meſ euls ſi belle rien ne ui.
et fait adeſ ſi ſimple contenance.
kelle ne doute medixant ne ſelon.
ki de li puiſt dire ſe touſ bienſ non.
ſignor cant iain dame de teil ualor.
loeiſ lamoy ſi fereiſ uoſtre honor.
Amorſ mait fait ſon pooir eſproueir.
plux ke nuluj ceu ſaichieſ ſenſ doutance.
nonkeſ mon cuer ne pout a ceu moneir.
paor de mort dont ie ſui en bellance.
ke tout adeſ neuſſe en remenbrence.
madouce dame ala cleire faiſſon.
ou de biaulteit ait ſi treſgrant ſoixon.
ke li penſeirſ me fait entreoblieir.
paor de mort et ma ſanteit cuidier.
Longueſ me ſont leſ nuiſ et plux li ior.
ke del ueoir faiſ trop grant demorance.
ſen plan ſouent et ſoſpir de pooir.
ke ſon amin ne mette en obliance.
or ai ge dit et ſolie et enſance.
onkeſ ceſ cuerſ ne penſait traixon.
ainſ eſt ſi bone et de ſi halt renon.
ke quant meſ corſ la parolle perdi.
penſait meſ cuerſ douce dame mercit

.xxvij.

Gaisef bruleis

De bone amor et de loiaul amie.
me vient fouent pitief et remenbrence.
si ke iamaix a nul iour de ma uie.
oblierai cef ieuls ne fa femblence.
por ceu famorf ne fen ueult plux foffrir.
kelle de tous ne faice afon plaixir.
et de toutef maix ne puet auenir.
ke de la moie aie bone efperance.

Comant porai auoir bone efperance.
en bone amor ne en loiaul amie.
ne en uairf ieuls nen la douce femblence.
ke ne uairai iamaix ior de ma vie.
ameir meftuet ne men puif plux foffrir.
celi cuj iai ne uanrait aplaixir.
et fe ne fai coment puift auenir.
ke de li aie ne fecourf ne aie.

Coment porai auoir fecors naie.
uerf fine amor lai ou ie nai poiffance.
cameir me fait ceu ke ne maimme mie.
dont iai naurai forf anuit et pefance.
ne ne li of mon coraige iehir.
celi cui iai ne uanrait aplaixir.
ke de teil mort feux iugief amorir.
et fe ne puif ueoir ma deliurance.

Ie ne uoix paif kerant teil deliurance.
per coi amorf foit de moi departie.
ne iai nul ior nen quier auoir pouxance.
ainf amerai ceu ke ne maimme mie.
fe neft paif droif ke ie doie iehir.
por nul deftroit com me faice fentir.

et ſe niait confort ke del morir.
pueſ ke ie ſai ke ne mameroit mie.
Nemameroit? iceu ne ſai ie mie.
maix finſ amanſ puet per bone atendance.
et per ſouffrir conquerre haute amie.
maix ie ne puiſ ueoir bone atandance.
ke celle eſt teille por cui plaing et ſoſpir.
ke ma dolour ne doigneroit oir.
ſe me ualt muels gairdeir mon boen taixir.
ke die rien ke li tourt agreuance.
Ne uoſ doit paiſ atorneir agreuance.
ſe ie uoſ ain dame plux ke ma uie.
ke ceſt larienſ ou iai gringnor fiance.
quant per moi ſoul uoſ oſ nomeir amie.
et de ceu traiſ moult delerouſ ſoſpirſ.
ke ne uoſ puix ne ueoir ne oir.
et quant uoſ uoi nj ait ke del morir.
ſi ſeux deſtrois ke ne ſai ke ie die.
per deu companſ ne uoſ oſ plux iehir.
ke ma dame eſt et ma mort et ma vie.

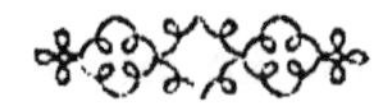

.xxviij.

Hautemant damorſ ſe plaint.
meſ cuerſ ke bien ſen doit plaindre.
car quant lom ne ſe feit faindre.
et on enuerſ luj ſe faint.
amorſ atort lou deſtraint.
et quant ſe uient adeſtraindre.
tout doit faillir et eſtaindre.
louſ cui fine amor ataint.

Dameir atort maparoil.
quant de hair ſaparoille.
la belle ke me conſoille.
ke ie praigne autre conſoil.
maix tant ain ſon uiſ uermoil.
et ſa bouchete uermoille.
conkeſ meſ cuerſ ne ſoumaille.
aincor ait meſ corſ ſon uieil.
Deliure eſt et ie ſeux priſ.
maix ce neſt paiſ droite priſe.
car bien deuſt eſtre miſe.
el leu ou elle mait miſ.
enſi lait amorſ aſiſſe.
et teils eſt la loi aſize.
ke la femme ſoit comquiſe.
pueſ kelle ait lome conquiſ.
Amorſ ait tort ſe meſprent.
car auſi deuſt eſprandre.
celi ke ſi me ſeit prendre.
alais ki leſ amans prant.
certeſ mal atent ke pent.
maix lonc teuſ uoldroie pendre.
por coi me uolſiſt entendre.
celle acui meſ cuerſ entent.
Damorſ moi plaing et ſai droit.
belle faiteſ men droiture.
nuls forſ uoſ belle faiture.
droiture ne me feroit.
ſe uoſ cuerſ maſeuroit.
damor loiaul et ſeure.
uoſtre bom ki leſ malz endure.
plux ſoeiſ leſ endurroit.

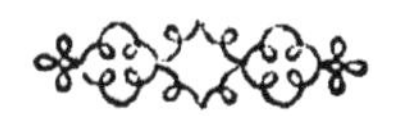

.xxviiij.

Renouoleir ueul labelle en chantant.
Et tant ſoulement kelle oie la nouelle.
Ecomant ſamor uait mon cuer enchantant.
ke tout adeſ ceſ malz li renouelle.
onkeſ dameir ne ſe uait repentant.
aincoiſ li uient touſ iorſ bien acreant.
de li ſeruir ciert mentente plux belle.
Bellement uait ſon ſecorſ atandant.
ki de douls cuer et urai mercit appelle.
et li mienſ cuerſ uait touſ iorſ atandant.
nonkeſ uerſ li ne traiſt ſauce merrelle.
maix or men uoix moult bien aperſeuant.
ſenſi me uait longuement deceuant.
li premierſ mals ou gringnorſ me rapelle.
Se ſaichieſ bien dame tout uraiement.
cor eſt meſtierſ que iaie uoſtre aie.
ke iai ſenſ uoſ por nul rapaiement.
niert de mon corſ la dolor repairie.
ne nel di paiſ por nul retraiement.
caincoiſ ain muels la mort en paiement.
ke bone amor ſoit per moi eſſaie.
Maix ceſt eſpoir daucun eſſaiement.
kire damorſ mait ſait teil enuaie.
et ie la ſer ſenſ nul eſſaiement.
ſe ſai de uoir ke bien men iert paiee.
ma uolenteiſ car de teil paiement.
ſont cil paie ki en teil eſſiant.
on bone amor et de ſin cuer eſſaie.
Douce dame touſ ſens toute bonteiſ.
la cui biaulteit nuls ne ſauroit deſcriure.
bien aueroie touſ autreſ ſormontei.
ſe moi doignieſ auoſtre amin eſlire.

car tant uos ain iai nestroit resscontei.
li mals ken sant et sen seux si donteis.
conkes nosai uostre uoloir desdire.
Bien me doit estre a gueridon tornez.
li lons trauals ke tout mon cors empire.
maix de haut cuer dessent baute bonteis.
por ceu matant ke ma dame en soit mire.
et se mes cuers est en hault leu monteis.
per amors est mains haus hom esmonteis.
ki plux hault tent de gringuor ioie est sire.

.xxx.

Roisignor cui io chanteir
en la uerdure leis la flor.
me fait mon chant renouelleir.
et ceu ke iai en bone amor.
mis cuer et cors sens nul retor.
et celle amor me fait penseir.
ala plux belle ala millor.
ke soit dont iai ne pertirai.
Deus li douls deus iai àucuer
amoretes samerai.
Iamerai et ueul eschiueir.
amon pooir toute folor.
pues camors mait teil sen doneit.
com de baieir ateil honor.
iai por poene ne por dolor.
ke il me couigne endureir.
ne recrorai ne nuit ne ior.
de li ameir per marme.
Deus elle mait elle mait elle mait.
deux elle mait ma dame.

Ma dame cui ie noz nomeir.
mis maueis en ioie gringuor.
quant uostre debonaireteit.
uo cleir uis uo frexe color.
puix remireir et uostre amor.
kestre de france coroneis.
aroi nestuet nulle millor.
se uos ain tant ne puix dureir.
mercit mercit douce amie.
ie uos ai tout mon cuer doneit.
Doneit loiaulment sens fauceir.
iel uos ai dame de ualor.
maix moult fort me font redouteir.
li enuious et losengier.
cui deus mette en male tristor.
ka uos me uoloient melleir.
maix ne creeis iai traitor.
se deu plaist dame en cui ie croi.
sens cuer seux elle lait manie.
sens cuer seux dous en ait osoi.
Osoi est mes cuers ke seureir.
ne sen poroit por nulle error.
car tot si com oeis conteir.
de fortune ke a son tor.
met lun en bais lautre desor.
puet ma dame de moi iueir.
saurai ason plaixir langor.
ou mercit sil len preut piteitz.
he douce baicelete
uos mocireis se uos uoleis.

.xxxj.

Amorſ ont priſ enuerſ moi morteil guerre.
et ſe ne ſai ke ie ſorfait lor ai.
aforce ſont entreeſ en ma terre.
por deſtruire mon corſ et can ke iai
ne moi uault rienſ cleif ne porte ne ſerre.
tout mait tolut ne ſai quant iel raurai.
ke ferai laiſ ou irai conſoil querre.

Apenſeis ſui cune choſe feroie.
ſamorſ uoloit et liuenoit en greit.
tout le heſtauſ de uoſ douſ meteroie.
forſ la belle kenſi noſ ait melleit.
ſe ne ſai ieu ſe ſolie feroie.
or ſoit ſor li iai ne len quiert oſteir.
car ſuſ autre dame nel meteroie.

Dame cui iain plux ke rien ki ſoit nee.
deſ ke ſor uoſ ai miſe la tenſon.
ke entre moi et amorſ eſt montee.
ne moi laiſſieſ occire ſenſ raixon.
faiteſ en paix douce dame honoree.
ſe iai amorſ fait nulle meſprixon.
auoſtre eſgairt li ferait amendee.

Deuſ ot pitie de longiſ ke ſa lance.
li miſt el corſ quant mercit li pria.
enſi aurait bone amor ſanſ doutance.
de moi mercit quant pitiet len prandrait.
nai paiſ encor faite ma penitence.
tant com amorſ et ma dame uorait.
me couanrait uiure en ceſte balance.

Amorſ de moy proieſ ma douce amie.
et uoſ dame por moi proieſ amorſ.
li vnſ proie lautre kil ait enuie.
de moi faire prochienement ſecourſ.

belle et blonde cui ie noſ nomeir mie.
reſcordeiſ moi douce dame a amorſ.
car iai ſenſ uoſ niert là guerre finee

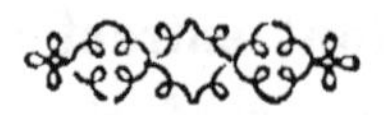

.xxxij.

Boin ior ait heu celle acui ſuiſ amiſ.
plux biaul ne ſai ma chanſon comancier.
bien ait amorſ ken ſi hault leu mait miſ.
de li ameir ne ſaiſ forſ cauancier.
tant eſt ſaige et franche.
ke ſa grant uaillance.
noſai recordeir.
chaſcunſ la deuroit ameir.
ſi men crien touſ diſ.
kil ne men ſuiſt trop pix.
laiſſiee lai por teil doutance.
Franſ cuerſ cortoiſ. ſaigeſ et bien apriſ.
ama dolour le ueul bien teſmoignier.
iai uoſ courroiſ ne fuiſt uerſ moi guenchiſ.
ſe ne fuiſſent li ſelon loſangier.
plain doutre cuidance.
la moie greüence
lor doi demandeir.
et ma dame ſoi porteir.
ki eſt de teil prix.
quant perſeurait lor meſdiſ.
perdue auront ſacointance.

.xxxiij.

vne dame

La froidor ne la iafee.
ne puet mon corf refroidier.
fi mait famor efchaufee.
dont plaing et plor et fofpir.
car toute me feux donee
ali feruir.
muels en deuffe eftre amee.
de celuj ke tant defir.
ou iai mife ma penfee.
Ne fai confoil de ma uie.
fe dautrui confoil nen ai.
car cil mait en fa baillie.
cui fui et feux et ferai.
por taut feux fa douce amie.
ke bien fai.
ke por rien ke nuls men die.
namerai
forf lui dont feux en efmai.
quant li plaift fe mocie.
Amorf per moult grant outraige.
mocieif ne fai por coi.
mif maueif en mon coraige.
dameir lai ou ie ne doi.
de ma folie feux faige.
quant iel uo.
de porchaifcier. mon damaige.
ne recroi
dameir plux autrui ke moi.
ne li doinft deuf couraige.
Enfi laiffe ken puif faire.
cui amorf iuftice et prant.

ne mon cuer nen puiſ retraire.
ne dautrui ioie natent.
trop ont anuit et contraire
li amant.
amorſ eſt plux debonaire
alautre gent.
ka moi ki leſ mals en ſent.
ne nuls bienſ nen puiſ traire.

Ma chanſon iſi define.
ke ioie ait uerſ moi finei.
car iai el corſ la raſine.
ke ne puiſ deſraſineir.
ke meſt acuer enterine.
ſenſ fauceir.
amorſ mont priſ en haine
por ameir.
iai beut del boiure ameir.
kiſoth but la roine.

.xxxiiij.

Gelleberſ de berneiville

Del beſoing uoit on lamin
piece ait ke ceſt recordei.
ſor ne fait amorſ por mi.
tant ke iaie un chant trouei.
ie croi ke maix niſterai.
de prixon ainſ imorai.
celle ke mait miſ ceanſ.
elle ait fait ceſ ſairemenſ.
ke iamaix ne maingerai.
ne pertirai

de ſa prixon.
ſaurai trouee chanſon.
Amorſ ie uoſ cri merci
ke me doneiſ teil penſeir.
caucun chantelet ioli.
li puiſſe faire aſon grei.
aceſt grant beſoing ke iai.
autre aie ke uoſ nai.
uoſ eſteſ meſ ſauemens.
ni ualt coixinſ ne paireuſ.
iai per eauſ ni guerirai.
tant gairderai
ceſte prixon.
caurai trouee chanſon.
Se me meteiſ en obli.
amorſ iai mon tenſ uſei.
et ſe me geteiſ de ſi.
mainte grant ioliuetei.
eincore por uoſ ferai.
aceſt beſoing nomerai
beatriſ. lai ou ie penſ
or meſt doubleiſ. touſ meſ ſenſ
hui maix a chant. ne ſaudrai
poent ne meſmai
en la prixon
de ligier ferai chanſon.
Prixonſ ne me puet tenir.
ie ſui touſ aſeureiſ.
ne autreſ mals auenir.
car li hauls nonſ eſt nomeiſ.
dame dandenairde priſ
me teneiſ. en uo paix
maix ne ſui paiſ eſmaieſ.
la prixonſ neſt paiſ moult grieſ.

car en leu destre greueis
seux honoreis.
en la prixon.
et saureis pertens chanson.
Iai cuer et cors et desir.
plux ke ie ne die aisseis.
mis en bone amor seruir.
or me tant si grant bonteit.
car ie sui en prixon mis.
maix amors et beatris.
mont teil secors enuoiet.
dont ie sui ioians et lies.
ains ke ie fuisse afameis.
seux deliures
de la prixon.
et sai trouee chanson.
Beatris ie sui trais.
et per uos nomeir gueris.
bien ueul ke uos saichies
et uos pri. ke uos faiscies.
iehanain chanteir aisseis.
et sa prendeis
de la prixon.
lenprisonnee chanson.

.XXXV.

lidus de braibant

Biaus gillebers dites sil uos agree.
respondeis moi a ceu ke uos demant.
vns cheueliers ait une dame amee.
et se sai bien kil en est si auant.

ke de li ſait nuit et ior ſon talent.
camorſ ait ſi la dame abandonee.
diteſ ſamourſ uait por ceu aloignant.
Dux de braibant iai oreiſ ma pencee.
iai li amor nirait por ceu ſaillant.
ainſoiſ ſeroit en loiaul cuer doublee.
ſon li faiſſoit bonteit et biaul ſamblant.
ſe la dame eſt donee aſon amant.
iai nen ſerait de luj forſ muelz amee.
ſen ſon cuer ait point de bouteit menant.
He Gelebert ou aueiſ uoſ trouee.
ceſte raixon trop uoſ uoi nonſaichant.
on tient plux chier la choſe deſirree.
ke ceu com ait abandoneement.
ne maleiſ mie de ceu reprenant.
tant eſt amorſ ſeruie et honoree.
ke leſ dameſ ſen gairdent ſainnement.
Dux iai moult bien uo raixon eſcoutee.
maix uoſ pairleiſ trop meruilloufement.
quant muels me ſait amorſ et plux magree.
et muels la ſer et plux men truiſ engrant.
aiſſeiſ moſtreiſ le uoſtre couenant.
toſt auerieſ uoſtre dame obliee.
ie li lo bien kelle uoſ maint tandant.
He Gelibert or eſt ſole prouee.
ſen uo mercit ne ſe met maintenant.
quant on ſait taut ke ſa dame eſt gabee.
diteſ uoſ dont com laimme plux ſorment.
neſt paiſ amor ou on uait mal querant.
dont ſa dame poroit eſtre blamee.
nuls ne lou ſait ki aimme loiaulment.
En nom deu dux ceu eſt choſe paiſſee.
ie ne croirai kil ſoit ſi ſailemant;
ke por bonteit ſoit dame refuſee.

ainſ ladoit on ſeruir muels ke dauaut.
or noſ metonſ en loiaul iugement.
si iert la raixon de noſ douſ partie.
car noſ eſtriſ dure trop longuement.
Gillebert ſoit ien preng por mon guerant.
lou boen raioul de ſoixonſ ke ſeuree.
ne fiſt damor nul ior de ſon uiuant.
Dux et ien praing le boen conte uaillant.
celuj danjo la choſe eſt bien alee.
car ciſt duj ſont de boen entendement

.xxxvj.

Maiſtreſ richarſ de furniual

Teils ſentremet de gairdeir
ke ne feit ki il icouient.
ne ka gairder apertient.
ne nulle raixon neſgairde.
cil ki eſtroitement gairde.
ceu con ne puet enſerreir.
Ki ueult femme empriſonneir.
ſaueiſ uoſ kil len auient.
lou cuer pert et lou corſ tient.
maix com bien ke il atairde.
touſ diſ eſt cuerſ de corſ gairde.
ou kil ueult lou puet moneir.
Cuerſ de femme puet uoleir.
quant il ueult ſe uait et uient.
nulle cleiſ ne lou detient.
cuerſ eſt monteiſ en lengairde.
diluec prouoit et eſgairde
per lai ou puiſt eſchaipeir.

Cil ait aboiure la meir.
ki teil riote maintient.
ſemme priſe pou et crient.
chaiſti de gent paipelairde.
kainſ nen ui nulle coairde.
et ke noſaiſt tout oſeir.
Ki la chaiſtoie dameir
plux amerouſe en deuient.
de teil choſe li ſouient.
dont elle ne ſe prenoit gairde.
por ceſt la uielle muſairde.
ke lenſant iſait penſeir

.xxxvij.

Gontiers

Li xourſ comence xordement.
xorſ eſt li ſiecleſ deuenuſ.
et xort en ſont touteſ leſ genſ.
xorſ eſt li ſiecleſ et perduſ.
ki de lautrui ueult maix noient.
moult xordement eſt reſpondus.
et malueſtieſ le mont porſaint
ke leſ baronſ ſait xorſ et muſ.
Chanteiſ uoſ ki ueneiſ de cort
la xorderie por lou xort.
Duel ai del clergiet tout auant.
ki noſ deuroient chaiſtoier.
ki en lor ſen ſe ſient tant
ke il ueullent deu engingnier.
prendre ueullent et mentir tant.

et ades auoir faus lueir.
Chanteiz

Duel ai des dames ki messont.
et atort laissent lors maris.
ke signors boens et loiaulz ont.
et fors ceaus aimment les faillis.
lais ces dolentes ke feront.
quant uanrait a ior del iuis.
ke li martir itrambleront.
iors les consaut sains esperis.
Chanteis uos ki ueneis de cort.

Duel ai des poures cheueliers.
dont si haus suet estre li nons.
car on les soloit tenir chiers.
et faire signors des barons.
or est grans chose li maingiers.
et en tout lan uns petis dons.
et sun pouc monte li dongiers.
aincor en est li respis lons.
chanteis vos.

Amors soloit faire iaidis.
plux de miraicle ke li saint.
maix or est tous perdus ces pris.
et li bruis des tornois remaint.
ie ne sai .x.. en nul paix.
dont nulz de bien faire se poent.
gontiers deproie ces amis.
et lor lowe ke chascuns aint.
Chanteis uos ki ueneis de cort
la xorderie por lou xort.

.xxxviij.

ancusef demonveron

Didousement vait li mons. empirant.
et chascun ior se torne. plux amal.
ke tuit sont mort li boen prince roiaul.
con ne uoit maix nul riche home uaillant.
ades uoit on le plux vaillant morir.
et li mauaix demorent por saillir.
et maluestief les destrant si forment.
kil nont pooir de faire un bel semblant.
Deus com mont mort norrices et ensant.
et les dames ke trop sont acheual.
mains boens hosteils nos ont chaicies amal.
et lor maris vancus outreement.
si ke il noseut un tout soul mot grondir.
alors osteis les puet on bien ueir.
aseis ipueent faire comandement.
maix solie est con nen seront noiant.
Deuz com est sols ki aseme se prant.
et ki en fait signor et menegaul.
bien puet souent traire maluaix iornal.
ke iai nul ior nen ferait son talent.
por moi le di conkes nen pou ioir.
et si ai mis tout mon tens aseruir.
maix des signors me meruoil ie forment.
ki le souffrent ke trop iait torment.
Et des kil sont ensi obeissant.
ie lor serai .i. si bel enseignal.
ke chascuns deaus gaire bien son ostaul.
pues kil sont teil kil ne pueent auant.
et pancent bien de lors ensans norrir.
et despairgnier et des gens eschârnir.

ensi poront estre riche et menant.
et pouc lor soit dou blame de la gent.

.xxxviiij.

Troiſ choſeſ ſont une flor.
Colorſ et corſ et colorſ.
Auſiment en deitei.
triniteiſ en unitei.
peireſ et fils et li ſainſ eſperis.
et ki tout ceu ne croit il eſt periſ.
  Meruilloufe ſut lamor.
ke deuſ ot aſ pecheorſ.
quant por noſtre ſaueteit.
priſt forme dumaniteit.
en la uirge pueſ ſut loienſ et priſ.
et en lacroix entre douſ laironſ miſ.
  Iai morut il a dolor.
et releuat atierſ ior.
enſer brixait deliure
furent li enpriſonneit.
el ciel monteit et el ior del iuiſ.
uanrait iugier et leſ morſ et leſ uiſ.

.xl.

Quant froidure trait afin
contre la ſaiſon deſteit.
ke floriſſent cil iardin.
et renuerdiſſent cil prei.
oxillon ki ont eſtei.
por la froidure tapin.
ſi renuoixent amatin.
eſpriſ de ioliuetei.
lors ſeux rauiſ amon grei.
en un deſir de cuer fin.
de remireir la clairteit.
ki iert et ferait ſenſ.fin.
  Tuit li deſir enterin.
ſont en cel riche regnei.
autant ipreixe on lou vin
comme liawe dun ſoſſei.
tuit ſont riche et aſeſſei.
niait poure ne frairin.
niat riot ne uenin.
dolor ne aduerſitei.
teil liueir et teil leſtei.
teil lou ſoir com lou matin.
chaſcunſ ait ſa uolentei.
et nuls ni uait adeclin.
  Pireſ eſt dun ſarazin.
et de nul autre home nei.
ki ne ſe trait achemin.
de cel paix honorei.
glorioufement ornei.
per artifice deuin.
illuec uoit on cherubin.
ſeruir en ſa maieſtei.

triniteit en unitei.
et maint autre chief enclin.
corronſ acel boen hoſtei.
noſ ki ſomeſ pecherin.
Adam li peireſ cayn.
quant dame deu lot ſormei.
ſiſt tout le monde orfenin.
deſ bienſ dont ieu ai pairleit.
adont ierent tuit dampnei.
boen et mal uiel et meſchin.
quant deuſ ſencloſt enleſcrin.
de pure uirginitei.
dauant et apreſ ſermei.
pueſ ſut coroneiſ deſpin.
et loſſiſtrent auiltei.
li iuif felon meſtin.
Qui tout ſauroit lou laitin.
kanken ſeiuent li lettrei.
francoiſ et greu et ermin.
et tout lingaige eſprouei.
terre et ciels fuiſſent muei.
en encre et en parchamin
et euſt lou ſen merlin.
iai ne diroit la bontei.
de celi ke per aue
conſut lou douls enſantin.
ki le monde ait deliureit
deſ laiſ amal iſangrin.

.xli.

La uolenteiſ dont meſ cuerſ eſt rauiſ.
ou deſirier de la uirge marie.
me fait chanteir por ceu kil meſt auiſ.
ke ſor toutes eſt ſa ualor triie.
paradiſ ait ki de boen cuer len prie.
ſe treſtuit cil len uoloient greueir.
ke deuſ ait fait aueuc luj oſteleir.
Meire de deu ſaintime emparerıſ.
moult ſeroit plainſ de grant forcenerie.
ki oſeroit iugier ke uoſtre filz.
ne uoſ aint ſor toute humainne lignie.
et pueſ ke uoſ ieſteſ ſa muedre amie.
ne die nuls kil uoſ ſeuſt ueeir.
kan kil poroit aſ autreſ reſuſeir.
Se treſtuit cil ki ſont en paradix.
et en enſer et anaiſtre et en uie.
ierent preſent et chaſcunſ fuſt garniſ.
com ſalemons de ſen et de clergie.
uoſtre ualor ne retrairoient mie.
com puet deſ bienſ caſiert auoſ loweir.
mil ſoiſ leſ poenſ de leſchaiquier doublier.
Com me li hom de mal talent eſpris.
ueul decochier ſorſ celle gent iuie.
ki renie ke li douſ iheſucris.
naſki de li en ceſte morteil uie.
trop maintiennent longuement lor ſolie.
quant per ſouhait ſiſt ciel et terre et meir.
bien puet ceſ mos en chair tranſſigureir.
Vaſpacienſ cor fuiſſies uoſ or uiſ.
enſ el uoloir et en la ſignorie.
ou uoſ eſtieſ quant uoſ de ceſ iuiſ.
xxx. adenier donaiſteſ enſurie.

ni demoroit ſabaiſ ne ieuerie.
ſe dame deuſ ne leſ uoloit tenſeir.
amartire leſ feriеſ deuieir

.xlij.

Denoſtre dame jaikeſ de canbrai

Retrowange nouelle.
dirai et bone et belle.
de lauirge pucelle.
ke meire eſt et ancelle.
celui ki de ſa chair belle.
noſ ait raicheteit.
et ki treſtous noſ apelle
aſa grant clairteit.
Se noſ diſt iſaie.
en une profeſie.
cune uerge degipte.
de ieſſe eſpanie.
iſtroit per ſignorie.
de treſ grant biaulteit.
or eſt bien la profeſie
torneie auerteit.
Celle uerge degipte.
eſt la uirge marie.
la flor noſ ſeneſie.
de ceu ne douteiſ mie.
iheſucriſt ki la haichie.

en la cròix souffri.
fut por randre ceaus en uie
kiierent peri.

.xliij.

Iaikes de canbrai ouchant tumidesir

Kant ie plus pens acomencier chanson.
et plus me plaist celle ou iai mon cuer mis.
kains de millor uoi parleir nuls hom.
ki sonor ait en houor et enpris.
serait moneis el grant ior del iuis.
et qui ne lait deus si mar ains fut neis.
ke sens mercit serait mors et dampneis.
Dame ki pues et ki dois per raixon.
estre por nos et proier ke tes fils.
per sa pitie nos faice urai pardon.
car autrement ne doit estre requis.
or le fai dont franche dame gentis.
si uoirement ken tes beneois leis.
fut li urais deus conceus et porteis.
Sires ki es et urais deus et urais hons.
et ki por nos fus en la croix occis.
quant tu por nos donais si riche don.
com ton saint cors ki tant est de haut prix.
bien nos puet estre otroies paradis.
car tu uals muels ke paradis aisseis.
he? ueulliès dont ke il nos soit doneis.

.xliiij.

Iaikeſ de canbrai ouchant de bone amor et de loaul aimie

Loeir meſtuet la roine marie.
en cui tant ait de bien et de uaillance.
ke nuit et ior por leſ pecheorſ prie.
aſon chier fil kil ait en remenbrence.
de noſ aidier et de noſ warantir.
uerſ lanemin ke tant deuonſ cremir.
cadeſ noſ ueult engingnier et honir.
ne plaice adeu ke iai en ait pouſſance.
Dame touſ bienſ et toute cortoiſie.
eſt dedenſ uoſ et maint aremenance.
nuls nen diroit la centiſme partie.
maix amongreit uoſ faiſ grant honorance.
quant meire deu uoſ apel et plaixir.
uoſ doit forment car ie ne puiſ ueir.
con uoſ peuſt ſi bel iuel offrir.
por ceu enfaiſ moult ſouent recordence.
He meire deu roine coronee.
por la pitiet keuſ dou roi celeſtre.
quant tu ueiſ ſa chair en croix leucir.
entre leſ iuis ki ſont de maluaix eſtre.
belle dame ke tant faiſ aproixier.
proie ton fil ke il me ueille aidier.
aceſt beſoing ke ien ai grant meſtier.
ou autrement mar me ui onkeſ naiſtre.

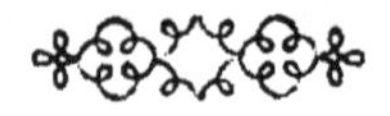

.xlv.

Denoſtre daime

Nete glorioufe
uirge pure et monde.
meire precioufe.
mon cuer purge et monde.
def grief mals de ceft monde.
Dame gracioufe.
de deu fuftef elite.
de toi fift fa poufe.
per fa grant merite.
deuf ki en ciel babite.
Tu ief roze coloree.
touf tenf ief uermoille.
ta color niert iai muee.
fe neft paif meruoille
nuls ne uit ta paroille.
Tu ief lif et uiolete.
touf iorf nette et pure.
de tous pechief monde. et nette
forf toutef naturef.
car deuf imift fa cure.
Tu ief bamef natureif.
douls miels et laituairef.
tu ief pimens fauoreif.
pucelle debonaire.
nof cuerf purge et efclaire.
Tu ief flor
a cui lodor.
ne faut ne nempire.
tu ief fruf

ki nos condus.
et moinnet alempire.
ke tient ihesus li sire.
Tu ies li pors.
et li despors.
li desdus et la ioie.
tu ies confors
et li acors.
chamins et droite uoie.
aselui ki te proie.
Tu ies solaus.
tu ies iornals.
et est si de marine.
per la bontei.
de ta clairtei.
nos cuers tous enlumine.
belle douce roine.
Tu ies rosiers
tu ies uergiers.
tu ies li tresdous paradis.
plains de delis.
ou ihesucris.
se desduit et delite.
ole saint esperite.
Tu ies clairteis.
tu ies purteis.
tu ies li sauerous osteis.
ains ne su teils.
car des douls ciels.
uint la sainte rouzee.
dont tu sutz arozee.
Tu ies sacraires enbameis.
tu ies seliers enpimenteis.
ou li fils deu delite.

quant ſa dolor et poene.
priſt en toy chair humainne.
Tu eſ la uerge aaron.
tu ieſ li templeſ ſalemon.
tu ieſ la maixon doirexon.
de toute uertut plainne.
et de toz hienſ mondainne.
Royne coronee.
dame bien euree.
bien doit eſtre aoree.
loure ke fuſtes nee,
Per toi eſt deliuree.
la gent maleuree.
keſtoit empriſonnee.
et en enfer dampnee.
Ki bien te ſert
il en deſert.
la ioie en ta contree.
Ke cil auront
ki taueront
ſeruiee et honoree.
Douce dame ke deu portaiſ.
ke de ton ſaint lait la laitaiſ.
uierge fuſ et uirge enfantaiſ.
per ta miſericorde
a ihesum noſ racorde.
Douce damoſelle.
nette creature.
ſaintime pucelle.
de la grant ardure.
denfer ke touſ tenſ dure.
deffendeiſ noſ aimmeſ.
Atraieſ auie
ke ſorſ touteſ dameſ.

aueiſ ſignorie.
dame ſainte marie.
amen chaſcuns en die

.xlvj.

Ceſt dou decort colin muSet

OR uoi lou douls tenſ repairier.
ke li roiſignors chaute en mai.
et ie cuit ke doie aligier.
li mals et la dolour ke iai.
Adonc mocient li delai.
damorſ ki leſ ſont engringnier.
laiſ mar ui onkeſ ſon corſ gai.
ſama uie ne le conquier.
Amorſ de moi ne cuide auoir. pechiet
por ceu ke ſeux ceſ ligeſ honſ ſougiſ.
douce dame preigne uoſ en pitieſ.
ke plux ſabaiſſe plux eſt haitieſ.
Et quant ſi grant choſe enpriſ
com de uoſtre amor chalongier.
touſ tenſ en perdon ſeruirai.
ſe toſt nen ai autre luwier.
ma treſ douce dame honoree.
ie ne uoſ ols neſ proier.
cil eſt trop fols ki ſi haut beie
com ni oſe aprochier.
Maiſ toute uoie.
treſ bien uoroie.
uoſtre amor fuſt moie.
por moi enſignier.

car agrant ioie
uit et ſenbanoie.
cui amorſ maiſtroie.
bien ſe doit prixier.
Ki bien ueult damorſ ioir.
ſe doit ſoffrir
et endureir.
kan kelle li ueult merir.
arepentir
ne doit penſeir.
com puet bien tout aloixir.
ſon boen deſir
apoeut meneir.
endroit de moi cuit morir.
muels ke guerir.
por bien ameir.
Se ie nai la ioie grant.
ke meſ cuerſ deſire taut.
defenir meſtuet briement.
douce rien por cui ie chant.
en mon deſcort uoſ demant.
un riſ debonairement.
ſen uiurai plux longuement.
moinſ en aurai de torment.
Belle iai ſi grant enuie.
denbraiſſier uoſtre corſ gent.
ſamorſ ne men fait aie.
ien morrai prochiennement.
amorſ ne me faudrait mie.
car ie lai touſ iorſ ſeruie.
et ſerai toute ma uie.
ſenſ nulle fauce penſee.
plux de toute gent loee.
plux ke nulle ke ſoit nee.

ſe uoſtre amor meſt donee.
bien iert ma ioie doublee.
Mon deſcort
ma dame aport.
la bone ducheſce. por chanteir.
de touſ bienſ ali macort.
kelle aimme deport
rire et iueir.
dame or uoſ ueul bien mouſtreir.
ke ie ne ſai uoſtre peir.
de bone uie meneir.
et de loiaulment ameir.
Adeſ uoſ uoi amendeir.
en vaillance et en doneir.
nel laiſſieſ iai por iangleir.
kil ne uoſ puet riens greueir

.xlvij.

Colinſ Muzeſ

Aucontre le tens nouel.
ai le cuer gai et inel.
a termine de paſcor.
lorſ ueul faire un triboudel.
car iain moult tribu martel.
brut et bernaige et baudor.
et quant ie ſuis en chaiſtel.
plain de ioie et de riuel.
lai ueul eſtre et nuit et ior.
triboudaine. et triboudel

deuſ confonde le muſel.
ki naime ioie et baudor.
De toute ioie meſt bel.
et quant ioi lou flaihutel.
ſoneir aueuc la tabor.
damoiſellef et donzel.
chantent et font grant riuel.
chaſcuns ait chaipel de flour.
et uerdure et broudelz
et li douls chanſ def oixels.
me remet en grant badour.
triboudainne triboudel.
plux ſeux lieſ per saint marcel.
ke teils ait chaiſtel ou tour.
Ki bien broiche lou poutrel.
et tient leſcut en chantel.
a comencier de leſtor.
et met la lance en eſtel.
por muelz vancre.lou ſembel.
uait aſembleir amillour.
cil doit bien auoir iuel.
de belle dame et anel.
per druerie ſamor.
triboudainne triboudel.
por la belle achief blondel.
ki ait frexe la color.
Teilz ameſce en .i. moncel.
m. mairſ et fait grant fardel.
ki uit a grant deſhonor.
iai nen aura boen morcel.
et diauble en ont la pel.
corſ et aime ſenſ retor.
por ceu ueul ieu mon mantel.
deſpandre toſt et inel.

en bone uille aſeior.
triboudainne triboudel
ki ualt auoirſ en ſardel.
ſon nel deſpent a honor.
Quant ie la tieng ou praiel.
tout entor clos draibexelz.
en eſteit ala uerdour.
et iai oieſ et gaiſtel.
pouxonſ tairteſ et porcel.
buef ala uerde ſauor.
et iai lou uin en tonel.
ſroit et fort et friandel.
por boiure ala grant chalor.
muels mi ain ken .i. baitel
en la meir en grant poour.
triboudainne triboudel
plux ain le ieu de praiel
ke ſaire maluaix ſeior.

.xlviij.

Paſtourelle baſtorNeiſ

An mai a douls teuſ nouel.
ke floriſſent arbrexel.
et prei renuerdiſſent.
deſduxant ſor .i. ruxel.
men alai per grant riuel.
truiſ paſtoure iolie.
caloit ceſ aignialz gardant.
et en ſa pipe chantant.
ſon dorelot.
iai ameit et amerai.
hedorelot

et ſaimme aincor.
deuſ de iolif cuer mignot.
Quant ie ui ke ſoule eſtoit
uerſ li men alai. tot droit
et ſe la ſalue
pueſ li dix celle uoloit.
kelle rencomenceroit
ſa chanſon quiert drue.
tantoſt la rencomenſait.
et en ſa pipe chantait
ſon dorelot.
Iai ameit.
Bien me plot ceu kelle ſiſt.
tot maintenant lirequiſ.
kelle fuſt mamie.
et elle me reſpondit.
et pueſ apreſ ſe diſt.
nel feroit mie.
car .i. autre auoit plux chier.
lorſ comanſait de richief.
ſon dorelot.
Iai ameit.
Por plux toſt ſamor auoir.
li donai de mon auoir.
et mon amoniere.
et li dix ke trop doloir.
me fait ſamor main et ſoir.
tant lauoie chiere.
lou don reſut maintenant.
pueſ chantait tout en riant
ſon dorelot.
Iai ameit.
En chantant me diſt amiſ.
en uoſ donſ maueiſ conquiſ.

mamor uoſ otroie.
ne ueul plux gairder berbiſ.
ainſ ironſ per lou paix.
menant bone uie.
moi et uoſ dor enauant.
et girai toz iorſ chantant
mon dorellot.
Iai ameit.
Tout maintenant la braiſſai.
en la bouche la baiſſai.
et elle ceſcrie.
he robin perdue maiſ.
iamaix plux ne maueraiſ.
ior en ta baillie.
car ie men uoix deſduxant.
per lou paix flaiolant.
mon dorellot.
Iai ameit.
Quant ie ui ſon biaul uiſ cleir.
de ioie priſ a chanteir.
per grant melodie.
et elle priſt aballeir.
aſaillir et atripeir.
per mignoterie
bone men aloit menant.
et touſ iorſ renouellant
ſon dorellot.
Iai ameit et amerai.
he dorelot
et ſaimme aincor.
deuſ de iolif cuer mignot.

.xlviiij.

jocelinſ de bruges

Lautrier paſtoure ſeoit.
lonc un bouxon.
aignials gairdoit ſi auoit.
flaiot pipe et haſton.
en hault diſt et ſi notoit.
i. nouel ſon.
enſa pipe refraignoit
la uoix de ſa chanſon.
pueſ ait dit amorſ amorſ.
priſ mauoiſ alaiſ corſour.
dont iai ne guerirai nul ior.
aminſ ſe per uoſ non.
Quant ie loi gamenteir
uoix la ueoir.
de mon cheual deſcendi.
leiſ li malai ſeoir.
de ceſ amorſ li requix
amon pooir.
et elle me reſpondi.
kelle nen ait uoloir.
nel feroie enſi nenſi.
ne ferai auuan ami.
forſ robin ke iai choiſi.
katre ne quier auoir.
Paſtoure ne teſmaier
mi ieu ſont bel.
auec uoſ me reteneiſ.
por gairdeir uoſ aignels.
et ſil uoſ plaiſt ſi aureiſ
de meſ iuelz.

ma ſenture reteneiſ.
aueuc meſ gans nouelz.
deſain moy ſe li tendi.
elle leſ priſt. ſoie mercit.
aiſſeiſ ou piux ke ne di
lou ior de meſ aueiſ.
Quant io ſait meſ uolenteiſ
uoix men riant.
amon uoloir et aſien
ſameire iuint corrant.
hareu hareu ki eſt deu
amon enſant.
fille touchait il atoi.
mouſtre moi ton ſemblant.
et quant la paſtoure lot.
en hault criait a .i. mot.
ſe ni ueniſſieſ ſi toſt
mal me fuſt couenant.
Fille touchait il atoi.
meire non al.
onkeſ amoi ne touchait
ne ne me fiſt nul mal.
ne nai cure de donoi
de teil uaiſſaul.
per deu fille mal ten croi
iuſ fut de ſon cheual.
meire car il remuait.
ſa ſelle ſi ſemontait.
onkeſ plux ni demorait
ainſ ſen uait leiſ cel ual.
Fille ueulz me tu celleir
ceu ke ie vi.
ainſ por celle remueir
apiet ne deſcendi.

ie le ui ſor ſoi monteir.
et toi ſouſ li.
et baixier et acolleir
quant vint adepartir.
dont ſo ie bien uoirement.
ſe neſt paiſ droit de parent.
del pucellaige eſt noianſ.
robinſ iat faillit.

Meire laiſſies moi eſteir
uoſtre merci.
ne peux paiſ leſ chanſ ueeir.
a ceauls ki uont per ſi.
onkeſ de robin ameir
no forſ lou cri.
aſſeziſ poroie muſeir.
aſi mignot amin.
obi laiſſe uielle gent.
mal pairliere et medixant.
quant cil ke ſont de iouent.
ſont damorſ reſbaudit.
meire meire ſenteiſ i.
ſancor neſt meſ couſ enſi.
la rouſee ieſpandi.
nait aincor paiſ granmant.

.I.

Lors quant uoi uenir
la doufor. dou tenf
et florf efpanir.
per boif et per plainf.
dont plor et fofpir.
et plaing mef ahanf.
kil meftuet foffrir.
por celi cui iain.
plux defir fauoir.
keil part eft mamie.
ke parix auoir
a toute ma uie.
E deuf keil martire.
fouffre ior et nuit.
de dolor et dire.
ien morai fe cuit.
nai talent de rire
touf folaif me fujt.
ki de touf eft fire.
rant moi mon defduit.
plux defir.
Moult feux angoiffouf.
keufi lai perdue.
trop eft enuiouf.
ki la mait tolue.
fi feux delerouf.
ma finf eft uenue.
fe li gloriouf.
ne me rant ma drue.
Plux defir.

Depair sa poissance
ke bien lou puet faire.
sens grant demorance.
me doinst son repaire.
ie lain sens doutance.
ne men puis retraire.
nait si belle en france.
ne tant debonaire.
Plux desir.

Sains iuliens bers
rant moy iullioute.
serai teil chanteir.
tous mes cuers en floute.
nen puet eschaipeir.
sens chanson ou note.
ne faice soneir.
en herpe ou en rote.
muels uoldroie auoir.
la belle en baillie.
ke sauoir des airs
ne astronomie.
Plux desir sauoir
keil part est mamie.
ke parix auoir
a toute manie.

.li.

Quant se uient en mai ke rose est panie.
ie lalai coillir per grant druerie.
en pouc doure oi vne uoix serie.
lonc un uert bouset. pres dune abiete.
ie sant les douls mals 'leis masenturete.
malois soit de deu ki me fist nonnete.

Ki nonne me fist iesus lou mal die.
ie di trop enuis uespres ne conplies.
iamaixe trop muels moneir bone uie.
ke fust deduis sans et ameroufete.
Ie sent.

Elle cescriait com seux esbaihie.
deus ke seans mait mis en ceste abaie.
maix ieu enistrai per sainte marie.
ne ni uesterai cotte ne gonelle.
Ie sant.

Celui manderai acui seux amie.
kil me vaigne querre en ceste abaie.
sirons aparix moneir bone uie.
car il est iolis et ie seux ionete.
ie sant.

Quant ces amis ot la parolle oie.
de ioie tressaut li cuers li fremie.
et uint ala porte de celle
si en getait fors sa douce amiete.
Iesant les douls mals desous

.lij.

An mai la matinee. a nouel tenſ deſteit.
a ioie et bone auenture. me ſemont de chanter.
a en male hore fu neiſ.
quant celle ne moy doigne. cui iai lonc tenſ ameit.
Amorſ me renouelle. acoſtei perdeſai.
deſor ma mamelete. me deſtraint et fait mal.
or prie a saint liennairt.
ki de ma douce amie menuoiſt .i. doulz reſgairt.
Iai une dame amee. or men uoix repentant.
la gent de ſa contree. ſen uont aperceuant.
deſormaix en auant.
nen quier eſtre blaimee. dome ki ſoit uiuans.
Maloite ſoit la ſente. dont on ne puet iſſir.
iai lonc tenſ eſteit enſeſ or men ueul repentir.
muelz uoldroie morir.
ka .xx. anſ ou a trante. ceſte dolor ſoffrir.
Doucement ſe gamente. la belle leſcouta.
et li diſt biaul douls ſire ne ſoieſ en eſmai.
uoſtre amie ſerai.
por rien ke nulz hom die de uoſ ne partirai

I.

Vorstehende zweiundfunfzig Lieder und Leiche sind aus einer der altfranzœsischen Handschriften entnommen die eine hauptsächliche Zierde der Stadtbibliothek von Bern ausmachen. Diese hier, noch im dreizehnten Jahrhundert auf Pergament geschrieben, trægt die Nummer 389; der Blätter sind jezt 249 in 32 Lagen: es fehlt aber mitten hinein (zwischen 185 und 186) ein Blatt, und am Schlufs ist wenigstens Eine Lage gänzlich verloren gegangen. Die Lagen sowie die einzelnen Blätter hat bereits der alte Schreiber gezählt, letztere jedoch mit irre führender Ungenauigkeit.

Alles ist, mit Ausnahme einiger wenigen Nachtræge, von einer und derselben Hand geschrieben; und wie diese zierlich kann genannt werden, so trægt auch das Ganze ein wohlthuendes Gepræge sauberer Sorgfältigkeit. Die Gedichte sind nach dem Alphabet geordnet, freilich wie auch in den lexicalischen Arbeiten des Mittelalters so, dafs innerhalb der einzelnen Buchstaben keine strenge Folge mehr gilt, und gleich in den ersten Stücken zum Beispiel *av al ay am* hinter einander stehn: *Aveugles muaſ et xours. Ala meire deu ſeruir Ay amorſ com dure departie. Amiſ bertrans diteſ moy le millor.* Jedoch ist dabei auf den Inhalt in so fern Rücksicht genommen, als die geistlichen Gedichte je an den Anfang, oft auch wieder eins oder einige der Art an den Schlufs jener Abtheilungen gestellt sind: so handeln im Buchstaben A die beiden ersten Lieder *de deu* und *de noſtre. dame*, und auch das letzte (*Ay amanſ ſinſ et uraiſ*) ist ein Marienlied; was mitten inne steht sind alles Minnelieder und dergleichen.

Strophen und Verse sind unabgesetzt, jene durch abwechselnd rothe und blaue Anfangsbuchstaben, diese durch Puncte unterschieden. Auch die kalligraphisch ausgeschmückten grœſseren Anfangsbuchstaben der ganzen Gedichte wechseln mit rother und blauer Farbe.

Zuweilen wo dem Schreiber ein Gedicht unvollständig überliefert war, læſst er freien Raum für spætere Ergänzung: so hinter dem Liede *Boin ior ait heu celle acui ſuiſ amiſ* (No. xxxij unserer Auswahl); anderswo bemerkt er ausdrücklich, ihm liege keine grœſsere Strophenzahl vor: *ineniot pluſ*, *Il ni ot ke .ij. uerſ*, *Il nen iot onkeſ plux* bei den Liedern *Adouſ tenſ deſteit* von Simonis de Boncort, *Neſt paiſ cortoiſ ainſ eſt fols et eſtouſ* von Jaikes de Cambrai und *On ne ſe doit deſeſpereir*.

In zwei Stücken jedoch iſt die Ausführung der Arbeit hinter deren Anlage zurückgeblieben. Erstlich sollten auch die musicalischen Noten beigefügt werden: aber es stehn überall nur die fünf rothen Linien da, und diese selbst bei den Dichtungen von gemischter Strophenform (wie No. xj. xlv. xlvj.) nur über den Worten je der ersten Strophe.

Sodann waren dem Rubricator am äuſsersten Rande der Blätter die Dichternamen oder sonstige Überschriften der einzelnen Lieder und Leiche angegeben: aber erst in spæterer Zeit, da diese Randbemerkungen schon unleserlich mochten geworden sein, sind dieselben von einer anderen Hand ungenau und schmucklos, nur noch mit schwarzer Tinte, nachtræglich copiert worden. Daher nun in den Dichternamen eine Masse von Fehlern; daher bei vielen Gedichten keinerlei Überschrift: Mängel deren Ausgleichung dadurch erschwert wird, daſs endlich noch der Buchbinder die älteren Randbemerkungen sammt und sonders bis auf eine einzige, die zu No. xj, weggeschnitten hat.

Aber nehmen wirs so gut wirs noch haben können, und stellen wir vorerst die Namen der Dichter, sowohl die von dem spæteren Schreiber am Rande vermerkten als die blofs in den Gedichten selbst genannten, nebst den Anfangsversen der Stücke denen sie beigeschrieben oder aus denen sie zu entnehmen sind, alphabetisch zusammen; die Namen der letztern Art mœgen befserer Unterscheidung wegen eingeklammert werden.

Abuinſ deſanene.

Flourſ ne uerdure de prei. *oben No. xij.*

Adanſ le boſuſ dareſ.

Pueſ ke ie ſeux de lamerouſe loi.

Retruſ (einmal) *aideſroiſ* (oder *adefrois) li baiſtairſ* (oder *libaiſtair)* oder blofs *aidefroi.*

An chambre a or ſe ſiet. labelle beatriſ. *oben No. i.*
Belle yſabiauſ pucelle bien apriſe. *oben No. ij.*
En nouel teuſ paſcour ke floriſt laube eſpine.
Fine amor en eſperance.
Kant ie uoi et fuelle et flor colour mueir.

(aimmeriſ) s. *Meſſireſ Joſſroiſ baireiſ.*

Meſireſ (oder *liſirez, liroiſ) amauriſ* (oder *amariſ) de creons* (oder *creone, creonne).*

Fine amor claime en moi per eritaige. *oben No. vij.*
Kault foilliſſent li boſcaige
Lonc tens ai ferui en bailence.
Quant ie plux uoi felon rire.

* *uncusef demonveron.*

Hidousement vait li monf. empirant. *oben No. xxxviij.*

andreuf (oder *Mesires, Messirez andreuf) li contredis (li* fehlt auch).

El moif dauri ke lon dift en pafcour.

Ieupartif: Guillames li vignieref amif. — Andreuf ie uof di granf mercil.

Quant uoi uenir lou doulz tenf et la flor.

* *andreuf de paris.*

Iai oblieit poene et trauail.

(andreuf.)

Pertif damorf et de mon chant. *s. auch den folgenden.*

* *(li roif daragon.)*

Iuepartis: Bieu uof pairt andreuf ne laiffies mie. — Roif ie ne croi ke nulle rienf tant uaille.

* *aubertins de* (oder *dez) areuos.*

Foif loaulteis solais et cortoixie.

Remambrance que meft ou cuer entreie.

* *Mesiref baduinf desaiftanf.*

Aurif ne maif froidure ne laif teuf.

(Bauduwins oder *Baduwins.)*

liroif thiebauf de nauaire: Roif thiebauf fire en chantant refpondeif. — Baduwin uoir mauaix ieu me parteif.

Baiftornez, Baftorneif, Beftornez.

Paftourelle baftorneif: An mai a douls tenf. nouel. *oben No. xlviij.*

An mon chant di ke ie fui touf femblanf.
Nouels uoloirf me reuient
On feroit mercif en faixon.

* *(bertrans)* s. *Guichairf.*

liuoieif debetune.

Kant li bofcaige retentift

Blondels (oder *Blondez*) *deneelle* (oder *denoielle*) oder blofs *Blondels*, *Blondelz.*

Bien ceft amorf trichie
Bien doit chanteir cui fine amor adrefce.
Iain per coftume et per vz.
Li plux fe plaint. damorf maix ie nof dire.
Moult fe feift boen tenir de chanteir.
Quant ie plux feux en paor de ma uie.
Remenbrence damorf me fait chanteir.
Tant ai damorf ken chantant meftuet plaindre.
Taut ai en chantant proie.
Tant ain et ueul et defir.

(Bouchairs) s. *Jehans.*

liduf de braibant.

Biauf Gilleberf ditef fil uof agree. — Dux de braibant iai oreif ma pencee. *oben No. xxxv.*

* *lialenf de challonf.*

Loiaul amor keft dedenf fin cuer mife.

(Chardons) s. *Jehans darchief.*

liuifcuenf de chartref.

Defconcillief plux ke nuls hom ki foit.

cherdonſ (od. *cherdon*) *de croiſillez* (od. *croxille, croſiez*).

Bien ſont amorſ lor talent.
Mar uit raixon ki couoite trop hault.
Preſ ſeux damorſ maix lonſ ſeux de celi.
Roſe ne liſ ne me done talent.

Collairſ (oder *Colairſ, Collair*) *li botillierſ* (oder *boutillier, bol-tillierſ*).

Amorſ et bone eſperance.
Loiauls amorſ et deſirierſ de ioie.
Sou com aprant en enſance.

Colinſ Muzeſ (oder *Muzez*).

Ancontre le tens nouel. *oben No. xlvij.*
Moult manue diuer ke tant ait dureit.
Or ueul chanteir et ſoulaicier.
Ceſt dou decort colin muset: Or uoi lou douls teuſ repairier. *oben No. xlvj.*
Soſpriſ ſeux dune amorete.
Trop uolentierſ chanteroie.
Une nouelle amorete ke iai. *s. auch Jaikeſ damienſ.*

* *Colinſ panſate de canbrai.*

Lautrier per une ſentelle.

lichaſtelainſ (oder *lichaſtelain, lichaiſtelain*) *de couſi* (oder *couſit, couſiſ*).

Auoſ amant plux ca mille autre gent.
La douce uoix dou roiſignor ſaluaige.
Lan kaut roſe ne ſuelle.
Mercit clamanſ de mon fol erremant.
Moult meſt belle la douce comenſence.
Plux ain ke ie ne ſouloie.
Quant uoi eſteit et lou tenſ reuenir.
Se iai eſteit lonc teuſ horſ del paix.

licuens de couſit.

De iolit cuer enamoreit.

Creſtieins (oder *creſtiein, Creſteien) de troieſ.*

Amorſ tenſon. et bataille.

Damorſ ke mait tolut et moy.

De iolit cuer chanterai. *oben No. viij. viiij. x.*

Cuneſ (oder *Meſſirez cuneſ) debetune* (oder *de betunes, de betunez).*

Ay amorſ com dure departie. *oben No. xxiij.*

Il auint iai en cel autre paix.

Lautrier un ior apreſ la saint deniſe.

Si uoirement com celle dont ie chant. *oben No. xxiiij.*

Uoloirſ de faire chanſon. *vgl. auch Guichairſ.*

* *laidame douſael.*

Ge chanterai por mon coraige.

Meſſireſ ferriſ de ferrierez.

Quant li roiſignors iolif.

* *Forkeſ de Merſaille ſorpointevin.*

Tuit demandent keſt deuengue amor. *oben No. xviiij.*

Meſſireſ (oder *Meſſirez, Meſirez,* einmal *liſireſ) gaiſeſ* (oder *gaiſez*).

Ala douſor deſteit ke renuerdoie.

Au lentrant deſteit ke li tenſ ſa gence.

Arenouel de la douſor deſteit.

Bien cuidai toute mauie. *oben No. v.*

Cant flourſ et glaiſ et uerdure ſeſloignent.

Cant uoi laube dou ior uenir. *oben No. iiij.*

Cil ki aime de bone uolenteit.

Cil ki damorſ me conſoille.
Damorſ me plaing ne ſai a cui.
Deſconforteiſ plainſ de dolor et dire.
Ione dame me prie de chanteir.
Li pluxor ont. damorſ chanteit.
Ne me ſont paiſ okeſon de chanteir.
Nuls honſ ne ſeit damin kil puet ualoir.
Per keil forfait et per keil ochoiſon.
Quant la ſaixon dou tenſ ſe raſeure.
Quant lerbe muert uoi la ſuelle cheoir.
Samorſ ueult ke meſ chanſ remaigne.
Soſpriſ damorſ et plainſ dire.
Tant de ſolaiſ com ieu ai por chanteir.
Treſgranſ amorſ me trauaille et confont.

Gaiſeſ (oder *gaiſez* oder *Meſſireſ, Meſſirez, Meſſire g.) Bruleiſ*
(oder *bruleiz, brulleiſ, brulez, brulei, bulleiſ*).
Agrant tort me fait languir.
Dame ſis uoſtreſ ſinſ amiſ.
De bien ameir grant ioie atent.
De bone amor et de loiaul amie. *oben No. xxvij.*
Deſconforteis plains dire et de peſance.
Deux gairt ma dame. et doinſt honor et ioie.
Douce dame greiſ et graices uoſ rent.
Fine amor et bone eſperence.
Gaiceſ per droit me reſpondeiſ. — Sire nen ſui paiſ
eſgaireis.
Grant pechiet fait ki de chanteir me prie.
Ire damorſ anuiſ et meſcheance.
Ire damorſ ke en mon cuer repaire.
Kant uoi paroir la ſuelle en la ramee.
Lonc tenſ ai eſteit
Manolenteiſ me requiert et ſemont.
Neſt paiſ aſoi ki aimme coralment.

Ou douls tens et en bone houre.
Pensis damors ueul retraire.
Quant ie uoi lerbe repaure.

Gatiers dairches.

Quant ie uoi lerbe et la fuelle
Quant li dous esteis decline.

* *Gatiers de bregi.*

Cant uoi la flour et lerbe uert pailie.

Gautiers (oder *Gatiers, Gathiers*) *daipinaus* (oder *daipinas, dapinaus, pinaus*), einmal auch *cheualier daipinas.*
Adroit se plaint et a droit se gamente.
Amors et bone uolenteit
Ay amans fins et urais.
Bone amor ke magree
Comancemens de douce saixou belle.
Desconforteis et de ioie pertis.
Iai por longue demoree.
Ne puet laissier fins cuers caides ne plaigne.
Partis de dolor.
Per son dous comandement.
Pues ken moi ait recourei signorie.
Quant ie uoi lerhe menue.
Quant uoi yuer et froidure aparoir.
Se iai lonc tens amors serui.
Se per force de mercit.
Tous enforcies aurai chanteit souent.
Tout autresi com laiemans desoit.

(Gautiers) s. *Pieres.*

* *Gavaron grazelle.*

Lautrier lou premier ior de mai.

* *Gerairs de valaisiene.*

Sire michies respondeis. — Gerairt tous seux porpenseis.

Gilleberf (oder *Gelleberf, Geleberf*) *de Berneuille* (oder *berneiville*).

Amors por ceu ke mes chans soit iolis.
Elais ie sui refuseis.
El besoing uoit on lamin. *oben No. xxxiiij.*
Iai souent damors chanteit.

(Gilleberf.)

Iugemans damors: Amors ie uos requier et pri. — Gillebert por uerteit uos di. *s. auch lidus de braibant.*

Gilles de Wies Maxons (oder *vies Maxon*).

Amors mait si ensignie.
Ki damors ait remenbrence.

Gontiers.

Bels mest laus en may. quant uoi lou tens florir.
Li xours comence xordement. *oben No. xxxvij.*

Gontiers de sonnierz.

Kant li teus torne auerdure.

* *goudefrois dechastelon.*

Moult ai esteit lonc tens en esperance.

Guaidifer dauions.

Tant ai damors apris et entandu.

Guernier (oder *Gerniers*) *dairches.*

Li miens chanteirs ne puet maix remenoir.
Moult chantaisse uolentiers liement.
Piece fait ke ie nen amai.

* *(Guichairſ.)*

Ieus partiſ Cunes de betunes: Amiſ bertrans diteſ moy le millor. — Sires Guichairſ ſaichies ceſte dolor.

* *Guioſ de bruinai.*

Quant li nouiaſ tenſ deſtei.

Guioſ de digon (oder *digonſ)* oder *gioſ dijon.*

Alentree del doulz comencement.
Bien doi chanteir quant fine amor menſaigne.
Chanteir me fait comant ke me deſtraingne.
Chanteir meſtuet por la plux belle
Cuerſ deſirrouſ apaie

* *Guioſ de prouinſ.*

Contre le nouel tenſ.
La bone amor ki en ioie me tient.
Leſ oxeleſ de mon paix
Ma ioie premerainme.
Moult aurai lonc tenſ demoreit.
Moult me meruoil de ma dame et de moy. *oben No. xiij—xviij.*
Treſ bone amor ki en ioie metient.

* *(Herberſ.)*

Chanſ doxiauls et fuelle et flour.
Loiaulz amorſ et li tenſ ke repaire.

* *Jaikeminſ* (oder *Jaikemaſ) de laiuante* (oder *lauante) li cleirs* (oder *liclerſ, licreirſ).*

Chanſon ueul faire de moi
Chanteir ueul por fine amor
Ma chanſon neſt paiſ iolie.

* *Jaikeſ damienſ* (oder *daumiens*).

Biauſ Colinſ Muſes ie me plaing dune amor — Iaikeſ damienſ laiſſieſ ceſte folor.
Chanteir meſtuet quant conteſſe men prie.
Ge men aloie ier matin.
Hareu damorſ plaindre en chantant.
Per mainteſ ſoiſ meſt uenu entalent.
Se per mon chant me deuſſe aligier.
Soſpriſ damorſ ſinſ cuerſ ne ſe puet taire.

* *Jaikeſ* (oder *Jaike*) *de cambray* (oder *canbrai, cambai*).

Amorſ et iolieteiſ
lichanſ ſire herelicauba: Eier matinet deleiſ .i. uert boiſſon.
Force damorſ me deſtraint et iuſtice.
Grant talent ai ka chanteir me retraie.
Iaikeſ de canbrai ouchant de lunicorne: Haute dame com roſe et liſ.
Iaikeſ de canbrai ouchant tumideſir: Kant ie plus pens acomencier chanſon. *oben No. xliij.*
Iaikeſ de canbrai ouchant de bone amor et de loaul aimie: Loeir meſtuet la roine marie. *oben No. xliiij.*
Neſt paiſ cortoiſ ainſ eſt fols et eſtouſ.
Iaikeſ de canbrai ouchant de laiglaie meirre: Meire douce creature.
Iaikeſ de canbrai ouchant loauſ amanſ ſinſ et vraiſ: O dame ke deu portais.
Or meſt bel. dou teuſ dauri.
Denoſtre dame jaikeſ de canbrai: Retrowange nouelle. *oben No. xlij.*

Meſſirez Jaikeſ de Soixonſ (oder *chozon*).

Nouelle amor ke meſt el cuer entree.
Quant li roiſignorſ ceſcrie.

(Jaikoſ, iacoſ.)

Oieſ por coi plaing et ſoſpir
Or uient eſteiſ ke retentiſt la bruelle.

* *(Jehans darchieſ.)*

Iueſ partiſ: Chardon de uoſ le ueul oir. — Iehan darchieſ ſouſtenir puiſ.

* *(Jehanſ daucuire.)*

Por lou teuſ ki uerdoie.

* *Jehanſ li taboreireſ de Meſ.*

Chanſ ne chanſon ne rienſ ki ſoit en uie.

* *Jehanſ li tenturier daurez.*

Ma dame en cui deuſ ait miſ.

(Jehans.)

Ieuſpartiſ: Bouchairt ie uoſ pairt damorſ. — Iehan .i. deſ ieuſ prandrai.

* *Jennaſ li cherpantier darez.*

Amors eſt une meruoille.

* *jocelinſ de bruges.*

Lautrier paſtoure ſeoit. *oben No. xlviij.*

iocelins, Joſelinſ.

Or chanterai com hom deſeſpereiſ.
Paſtorelle iocelins: Quant io chanteir laluete

* *Meſſireſ Joffroiſ baireiſ.*

Sire aimmeriſ prendeiſ un ieu partit. — Per deu ioiffroit boen ieu maueiſ partit.

lichieure de Rains.

Ki bien ueult amorſ deſcriure.

* *leduchaiſe de lorainne, leduchaſe de lourainne.*

Per mainteſ foiſ aurai eſtei requiſe.
Un petit dauant lou ior

Maheuſ de ganſ s. Roberſ de lepi.

Maiheuſ li Jeus.

Per grant franchiſe menfort de chanteir.

Mertinſ li beginſ de canbrai.

Loiauls deſirs et penſee iolie.

* *(Michiels, Michieſ)* s. *Gerairſ de valaiſiene.*

Moinieſ (oder *Moinnieſ*) *daureſ* (oder *daurez*).

Aincor ait ſi grant poiſſance.
Amorſ neſt paiſ coi condie
Bone amor ſenſ tricherie.
Compaignon ie ſai teil choſe.
Ne me done paiſ talent.
Nuls nait ioie ne ſolais.

* *Muſealiate.*

Ie noſ chanteir trop tairt ne trop ſouent.

* *Muſe anborſe.*

Fine amor maprent a chanteir.
Li tenſ deſteit et maiſ et violete.

Perrinſ (oder *Piereſ, Pierez*) *dangincort.*

Il ne men chaut deſteit ne de rouzee.
perrinſ dangicort et ſi ſut corenaie et arez: Iai vn iolit ſouenir.
Ie ne ſui paiſ ebahiſ.
Li ioliſ maiſ ne la flourſ ke blanchoie.
Maiſ ne auriſ ne prinſ temſ.
Quant uoi la glaie meure.

(Perrot.)

Iuepartiſ: Douce dame or ſoit en uoſ nomeir. — Per deu perrot moult ſait moinſ ablaimeir.

Meſireſ philippeſ de uantuel.

An chantant meſtuet complaindre.

Pierekins de laicopele (oder *laicopelle)*.

Ge chant en auenture.

Iain la millor ke ſoit enuie.

piereſ de ganſ.

Avſi com lunicorne ſuiſ

Pierez de Mollins oder *liſirez piere de Mollinſ.*

Chanteir me fait ceu dont ie crien morir.

Tant ſai damorſ con cil ki plux lemprent.

(Piereſ.)

Ceſt douconte debair et docenin ſon ganre: Gautierſ ki de france ueneiſ. — Piereſ ſe noſtre coenſ henriſ.

Meſſires raouſ de ſerriereſ oder *Meſſirez raiouſ de ferreires.*

Encore meſtuece il chanteir.

Se iai chanteit ſe poiſe moi.

Meſſireſ raiouſ de Soixonſ oder *Meſſirez rauſ de ſoiſonſ.*

Deſore maix eſt raixonſ

E coenſ danio on diſt per felonnie.

(Raous.)

Iugemanſ damorſ: Biaul tierit ie uoſ ueul proier. — Raoult ie ueul dire et iugier.

* *Meſſireſ Renaſ detirei.*

Bien puet amorſ gueridoneir.

Maiſtreſ renaſ laiſiſt de noſtre ſignor.

Pour lou pueple reſconforteir. *oben No. xxj.*

* *liroiſ richar.*

Iai nuls honſ priſ ne dirait ſa raixon. *oben No. xxij.*

Maiſtreſ richarſ de furniual.

Teils ſentremet de gairdeir. *oben No. xxxvj.*

* *Roberſ dedommart.*

Kant fine amor me prie ke ie chant.

* *Roberſ de lepi et amaheuſ deganſ.*

Maheuſ de ganſ reſpondeiſ. — Roberſ bien ſeux apenſeiſ.

* *Robinſ douchaſte daureſ.*

Se iai chanteit ſenſ gueridon auoir.

* *Simairſ de boncort.*

Adouſ tenſ deſteit

Bone amor me ſait chanteir.

* *Thiebauſ de naugiſ paſtorelle.*

Adouls tenſ paſcor.

thiebauſ li roiſ denaivaire oder *liroiſ thiebauſ de naiuaire* oder bloſs *liroiſ de naiuaire (naiuairez, Nauaire, nauare).*

Amorſ me ſait comencier.

Belle et bone eſt celle por cui. ie chanſ.

Dame mercit une rienſ uoſ dêmant.

De bone amor uient ſcience et bonteiſ.
Fuelle ne flour ne ualt riens en chantant.
Ge ne uoy maix nelui ke iut ne chant.
Kant amorſ uit ke ie li aloignoie.
ONkes ne fut ſi dure departie.
Roze ne flordelis.
Sanſ atente de gueridon.
Sonkeſ nuls hom por dure departie.
Tant ai amorſ ſeruiee et honoree.
Tant ai amorſ ſeruie longuemant.
Tuit mi deſir et tuit mi grieſ torment. *oben No. xxv.*
s. auch Bauduwins.

Thieris, Tieris s. *Raous.*

thomeſ hereſſies.

Ne doi chanteir de fuelle ne de flourſ.

(Thomeſ) s. *Villames.*

* *(Timont argier.)*

Moult me prie ſouant.

* *triſtanſ ceſt li laiſ dou chieure fuel.*

PER cortoiſie depuel. *oben No. xj.*

Vgueſ (oder *vguez* oder *Meſireſ vgeſ, Meſſirez vguez*) *de bregi* (*brregi*).

Aincor ferai une chanſon perdue.
Auſi com cil ki cueure ſa peſance.
EN aueuture ai chanteit.
Kant uoi lou tenſ felon raſuaigier.

(*Villames.*)

Thomeſ ie, uoſ ueul demandeir. — Villame nel uoſ quier celleir.

Meſſirez Watier (oder *vatierz, gatier*) *dedergie* (oder *dedegier*) oder *vatrieſ dedargier, Gatierſ de dergier.*

Ains maix ne ſix chanſon ior de ma uie.
Iuſca ſi ai touſ iorſ chantei
La gent dient por coi ie ne ſaiſ chanſ.
Mainte foiſ mait lon demandeit.
Quant li tenſ pert ſa chalor.

* *Meſſirez Watierſ denabilley.*

Deux iai chanteit ſi uolentierſ.

Willains daures.

Ioiouſ talenſ eſt de moy departiſ.

Willame de corbie.

Moinſ ai ioie ke ie ne ſuel.

Meſſirez Willamez de vieſ Maxon.

Moult ai eſteit longuement eſbaihis.

Maiſtreſ (oder *Maiſtrez, Maiſteſ, Maiſtre*) *Willame li vinieres* (oder *liuinierſ, liuinier*).

En tous tenſ ſe doit ſinſ cuerſ eſioir
Flourſ ne glaiſ ne uoix hautainne.
Freire ke fait muels aprixier. — Sire mentir ne uoſ en quier.
Teil foiſ chante li iugleireſ. *s. auch andreuſ li contredis.*

Die geringern und gar zu augenfälligen Fehler dieſer Namenreihe übergehend, will ich nur die erheblichern und deren gewisse oder wahrscheinliche Beſserung berühren.

Abuinſ deſanene, liroiſ amaris de creons, lialenſ de challonſ, Simairſ de boncort: alles das sind keine Worte, keine Namen: mit dem ersten kann nur *Auboins de Sezane* gemeint, *liroiſ* wird in *ſireſ*, *lialenſ* in *li cuenſ* zu beſsern sein*); *Simairſ* endlich ist aus *Simoniſ* verlesen: in dem Geleit seines zweiten Liedes heiſst es *di li depair ſimonin*. Ebenso nennt sich *lichieure de Rains* selber mit weiblichem Artikel *Lachieure*. *Gaiſes* hat in den Handschriften überall nur Ein *ſ*: der Text der Lieder *Gaiceſ per droit me reſpondeiſ* und *Ou douls tenſ et en bone houre* von Gaises Bruleis giebt hier ein doppeltes *ſ*, dort ein *c*, und *Gaices Gaiſſes* stimmt allerdings beſser zu der sonst üblichen Schreibung *Waces*.

Auch der Fehler ist dem Schreiber begegnet, daſs er durch irrig abwechselnde Auffaſsung aus einem Namen, einer Person zwei, ja sogar drei gemacht hat: denn *Gilleſ* (d. h. Ægidius) *de Wieſ Maxons* ist doch wohl kein andrer als *Willamez* (Wilhelm) *de vieſ Maxon*, und *Gatierſ daircheſ* sicherlich mit *Watier* oder *gatier dedergie* oder *dedargier* und zugleich mit *Guernier dairches* einer und derſelbe.

Ferner sind einige Dichtungen mit Namen belegt denen sie gar nicht zugehœren: Mann und Gegenmann eines der zahlreichen getheilten Spiele sind ein Guichairs und ein Bertrans: gleichwohl steht am Rande des Blattes *Cunes de betunes*; und die unter No. v. und xv. abgedruckten mit *Meſſireſ gaiſeſ* und *Güioſ de prouinſ* bezeichneten Lieder finde ich anderswo nach mehrfacher und guter Autoritæt, jenes als Eigenthum Auboins de Sézanne, dieſes als Eigenthum Gaces aufgeführt.

---

*) Bei dem Kœnige Amauris mochte der Schreiber, gedankenlos genug, an einen Amalrich von Jerusalem denken. Kœnig in dem Sinne, wie bei den Franzosen Adenez, bei den Provenzalen Guillems Mita so betitelt wurden, und wie es auch in Deutschland einen Kœnig vom Odenwalde gab, Kœnig der Spielleute oder Wappenkœnig, konnte ein edler Herr von Creons nicht wohl sein; auch würde Amauris dann beständig, nicht bloſs ein einziges Mal jenen Titel erhalten.

Ein Versehen endlich, das sonst in mittelalterlichen Liedersammlungen gar nicht selten ist, tritt uns in dieser altfranzœsischen nur ein einziges Mal entgegen, die Widerholung næmlich desselben Gedichtes an verschiedenen Orten. Das hat ſich nur bei dem Liede *La bone amor ki en ioie me tient* von Guios de Provins (oben No. xiiij) ereignet, welches noch einmal im Buchstaben *T* erscheint, und zwar mit folgenden Abweichungen der Lesart. Str. 1, Z. 1 *La: Treſ*; 4 *fait: font*. 2, 2 *ke: ki*; 7 *plux ſeux: ie fui*. 3, 2 *igaulment: eugalment*; 3 *el: a*; 4 *ſi: ſe*; 7 *meſt: eſt*. 4, 1 *amanſ: amiſ*; 3 *ſerue: ſerce*; 4 *iai ne ſe: ia ne ſen*; 5 *ke: ki*. 5, 1 *deu: de*; 1. 2 *ſoſpir-plaint-deſir: ſoſpirſ-plainſ-deſirſ*; 4 *boen: bien*; 6 *enuiouſ: anoiouſ*.

Nach diesen Bemerkungen stellt sich die Zahl der benannten Dichter die unsre Handschrift enthält auf 106, die ihrer Gedichte auf 280 fest; nehmen wir jedoch an daſs z. B. Chardons mit Cherdons de Croiſilles, Andreus mit Andreus de Paris oder Andreus li contredis und so überall die bloſs mit Taufnamen bezeichneten identisch seien mit andern welche dem gleichen Taufnamen noch eine weitere Bestimmung hinzufügen (eine Annahme zu der uns gleichwohl nichts berechtigt), so verbleiben uns immer noch volle 92 Dichter. Zweiundvierzig derselben (es sind die Namen mit vorgesetztem Stern) fehlen in dem Verzeichniss altfranzœsischer Lyriker welches De la Borde entworfen (Essai sur la Musique II, 149—232. 309—343), also wohl auch in all den sechs Handschriften die er für seine Arbeit benützt hat.

Aber fast ebenso groſs als die Zahl der benannten ist die Zahl derjenigen Stücke, die vom Schreiber wie von den Dichtern selbst namenlos sind gelaſsen worden: deren Summe beläuft ſich auf nicht weniger denn 238. Davon sind nachstehende 214 ohne alle Rubricierung.

Ala doufor de labelle faixon.
Amorf acui ie me rant prif.
Amorf et defirf me deftraint.
Amorf ki fait de moy tout fon comandement.
Amorf ki porat deuenir.
Amorf me font fouent chanteir.
Amorf ont prif enuerf moi morteil guerre. *oben No. xxxj.*
An mai la matinee. a nouel tenf defteit. *oben No. lij.*
Anouel tenf ke li yuerf fe brixe.
Antre araif et dowai
An .i. florit . uergier iolit.
Atenf defteit ke rouzee fefpant.
Aucune genf mont enquif.
Ay amanf finf et uraif.
Belle aelif une ione pucelle.
Belle meft la reuenue
Biauf meft prinf tenf apertir de feurier.
Bien doit chanteir et ioie auoir.
Bien eft raixonf ke ie die.
Bien eft raixonf puef ke deuf mait doneit.
Bien meft auif ke ioie foit faillie.
Bien uoi kamorf me ueul maix maiftroier.
Bien uoi ke ne puif morir.
Boin ior ait heu celle acui fuif amif. *oben No. xxxij.*
Bone amor iolie.
Ccant uoi le douls tenf comencier.
Chans doixillonf ne bofcaigef foillis.
Chanteir me fait amorf et refioir.
Chanteirf ke me fuelt agreeir.
Chanteirf liplaift ki de ioie eft norrif.
Coment caloignief foie.
Dame iatant en boen efpoir.
Dame por cui fofpir et plour.
Damorf dont feux efprif.

Ge chanterai ke mamie ai perdue.
Ge chanterai moinſ renuoixiement.
Grans folie eſt de penſeir.
Grant piece ait ke ne chantai maix.
Hareu ne fin de proier.
Hauls deuſ tant ſont maix de uilainne gent.
Haute amor ke meſprant.
Haute choſe ai dedenſ mon cuer empriſe.
Haute choſe ait en amor
Hautemant damorſ ſe plaint. *oben No. xxviij.*
Haute rente mait aſiſe.
Haut oi chanteir permei lou gal.
Helaiſ cai forfait ala gent.
Humiliteiſ et franchixe.
Humleſ damorſ dolenſ et correcieſ.
Iai de chanteir en ma uie.
Iai ne uaurai lou deſir acomplir.
Iai por ceu ſe dameir me duel.
Iai por mal perliere gent.
Iai por noiſ ne por geleie.
Iai tant damourſ. apriſ et entendut.
Ie chans damorſ ioliuement.
Ie ne men puiſ ſiloing fuir.
Ie nou piece ait nul talent de chanteir.
Il feroit trop boen morir.
Ioie damorſ dont meſ cuerſ ait aiſſeis.
Irieſ et deſtroiſ et penſis.
Kant fuelle et flour uont palixant.
Kant ie uoi honor faillie.
Kant il ne peirt fuelle ne flor.
Kant ioi lou roiſignor chanteir.
Kant li ruſ de la fontainne
Kant li treſ douls tenſ deſteit.
Kant ſe reſioiſſent oixel.

Kant uient ou moif de mai. kaurif eft departif. *oben No. iij.*
Kant uoi le tenf renoueleir.
Kant uoi nee.
Ki bien aimme droif eft ke lueure paire.
Ki bien aimme plux endure.
Ki bone amor puet recoureir.
Kike de chanteir recroie.
La bone amor acui feux atendanf.
La bone amor ke en mon cuer repairet.
La douce penfee.
Lamor ke mait del tout en fa baillie.
Lan ke fine fuelle et flor.
La uolenteif dont mef cuerf eft rauif. *oben No. xli.*
Lautrier cheuachai penfif
Lautrier leuai ainf iorf.
Lautrier me cheualchoie. leif une fapinoie.
Lautrier me cheualchoie. touf fouf daref adowai.
Lautrier me cheualchoie. toute ma fenturelle.
Lautrier miere leuais.
Lautrier miere rendormif.
Li amant ki uiuent daige.
Li plux defconforteif del mont.
Loe tant ke loeir.
Longuement ai afolor.
Lors quant laluelle.
Lors quant uoi uenir. *oben No. l.*
Mainf fe fait damorf plux fierf.
Maix nof chanteir de fuelle ne de florf.
Ma uolenteif et bone amor menfaigne.
Mefcheanf feux damorf.
Mef cuerf loiauls ne fine.
Mef cuerf me fait comencier.
Mef fens folaif fenf deport.
Ne puif faillir abone chanfon faire.

Ne ſeiuent ke ie ſent.
Ne tieng pais celui a ſaige.
Nouelle amor ceſt dedenſ mon cuer miſe.
Nouelle amor dont grant poene meſt nee.
Nouelle amor. ou iai miſ ma penſee.
Nuls hōnſ ne doit leſ bienſ damorſ ſentir.
En diſt camorſ eſt douce choſe. *oben No. vj.*
Onkeſ ior de ma uie.
Onkeſ maix nuls honſ ne chantait.
On ne ſe doit deſeſpereir.
Or ai amors ſeruit tout mon ùiuant.
Or ai bien damorſ aperſu.
Or cuidai uiure ſenſ amorſ.
Or ſeux lieſ del douſ termine.
Or ueul chanſon et faire et comencier.
Or uoi ie bien. kil neſt rienſ en ceſt mont.
Or uoi yuer defenir.
Ov pertir de la froidure.
Ov tenſ ke uoi florſ uenir.
Ov tenſ ke uoi noix remiſe.
Outre cuidieſ. en ma fole penſee.
Penſis damorſ et maſ.
Penſis loing de ceu ke ie ueul.
Per trop celleir mon coraige.
Per une matineie en mai.
Plainne dire et de deſconfort.
Pluxorſ foiſ ont blaimeiſ. mainte gent per le mont.
Por ceu ke meſ cuerſ ſouffre grant dolor.
Por demoreir en amorſ ſenſ retraire.
Por ioie chant et por mercit.
Por la belle ke mait ſamor donee.
Por lou douls chant. deſ oxels
Por moy renuoixier ferai chanſon nouelle.
Puis que limaus camorſ mi font ſantir.

Quant froidure trait afin. *oben No. xl.*
Quant ie uoi le douſ tenſ uenir.
Quant ie uoi mon cuer reuenir.
Quant la froidor rencomence.
Quant la froidorſ ceſt demiſe.
Quant li eſteiſ et la douce ſaixon.
Quant naiſt flor blanche et uermoille.
Quant noiſ et giauſ et froidure.
Quant noiſ et glaiſſe et froidure ſaloigne.
Quant ſe uient en mai ke roſe eſt panie. *oben No. li.*
Quant uoi la flor bouteneir.
Raige damorſ malz talenſ et meſchieſ.
Renbadir et moneir ioie.
Renoueleir ueul labelle en chantant. *oben No. xxviiij.*
Renouellemenſ deſteit.
Renuoixieſ ſeux quant uoi uerdir.
Rire ueul et eſioir.
Roiſ de nauaire et ſireſ de uertu. *oben No. xxvj.*
Roiſignor cui io chanteir. *oben No. xxx.*
Roſe cui noiſ ne iailee.
Roſe ne florſ chanſ doxels ne uerdure.
Roſe ne liſ ne doulz maiſ.
Se de chanteir me peuſſe eſcondire.
Sens eſperance et ſenſ confort. ke iaie.
Serteſ ne chant mie por leſteit.
Si ſeux dou tout abone amor.
Sonkeſ nulz honſ ſe clamait.
Talenſ meſt priſ ke ie chainge mon coraige.
Tant ai ameit cor me couient. hair.
Tant ai mon chant entrelaiſſiet.
Tant mait moneit force de ſignoraige.
Tant ne me ſai dementeir ne complaindre.
Teils diſt damorſ ke nen ſeit paiſ demie.
Touſ irieſ meſtuet chanteir

Tout aufi com li olifanf
Tout aufiment com retraient alaire.
Trifmontainne ke tout aif formonteit.
Troif chofef font une flor. *oben No. xxxviiij.*
Trop me plaift a eftre amif.
Trop meft fouant fine amor anemie.
Uerf lou douls tenf defteit.
Uerf lou nouel de la flor.
Uerf lou partir dou tenf felon.
Un chant damorf uolentierf. comanfaixe.
Unf honf ki ait en foi fen et raixon.

Bei einem geht die Randschrift nur auf das Geschlecht des Autors:

vne dame.

La froidor ne la ialee. *oben No. xxxiij.*

bei den noch übrigen endlich auf Inhalt oder Form des Gedichts.

de deu.

Aveugles muaf et xours.

Denoftre Signour.

Ierufalem fe plaint et li paif. *oben No. xx.*

de noftre dame (oder *daime*, auch *daume*).

Ala meire deu feruir
Boin fait feruir dame ki en greit prant.
Chanteir meftuet de la fainte pucelle.
Cuerf ke fon entendement
De la meire deu chanterai.
Douce dame de paradix.
En plorent me couient chanteir.
Finf de cuer et daigre talent.

Nete gloriouſe. *oben No. xlv.*
Qant deus ot formeit lome aſaſanblance.
Sainte ſentiere entenſion.
Talenſ me reſt priſ de chanteir.
Uiure tous tenſ et chaſcun ior morir.
Uos ki ameiſ de uraie amor.

Jeuſ partiſ oder *Juepartiſ.*

Amiſ ki eſt le muelz vaillans. — Dame ceu ke meſ cuerſ en ſent.
Conſillieſ moi ſignor. — Se iai celle matour.

Paſtourelle, Paſtorele, Paſtorelle, PaſtorRelle, Paiſtorrelle.

A vn an iornant
Cheuachai mon chief enclin.
De ſaint quatin a cambrai.
Lautrier a doulz moiſ de mai.
Lautrier decoſte cambrai.
Lautrier deforſ picarni.
Quant ſuelle chiet et flor fault.

Alles in eins gerechnet, 519 Lieder und Leiche.

II.

Von den 519 Gedichten der Berner Handschrift giebt obenstehende Auswahl nur den zehnten Theil: wenig im Verhältniss zu der Masse des Ganzen, viel in Vergleich mit dem, was anderweitig für Bekanntmachung der mittelalterlichen Lyrik Frankreichs geschehen ist. Die franzœsischen Litteraten des vorigen Jahrhunderts haben ihren Fleifs beinahe nur auf zwei unter all jenen vielen Dichtern bezogen, auf einen den das historische, auf einen andern den das romanhafte Interesse ihnen bedeutsam machte, den Kœnig Theobald von Navarra und den Castellan von Couci; die des jezigen, mitgeführt von dem Fortschritte aus der Romantik in die historische Schule den das Studium des deutschen Alterthumes gethan hat, wenden sich mit erfolgreicher, immerhin jedoch einseitiger Vorliebe den Denkmælern der Epik zu, und eben dieselbe Richtung nimmt die Theilnahme der deutschen Philologen. Das bedeutendste was nach De la Ravallière und De la Borde die neuere Zeit geleistet hat, ist der Romancero François von Paulin Paris (1833); und auch hier macht jener epische Zug sich zur Genüge geltend: von den 32 Liedern welche der Romancero enthält sind beinah die Hälfte aus Lyrik und vorwaltender Epik gemischt. Unter solchen Umständen kann eine planmæfsig gesammelte und geordnete Reihe von 52 Liedern und Leichen der Langue d'oïl, Erzeugnissen einiger und dreifsig verschiedener Dichter, wohl ein nicht unbeträchtlicher Beitrag geheifsen werden.

Und die meisten derselben sind bisher noch nirgend gedruckt worden, und auch die sonst schon gedruckten erscheinen hier mit grœſserer Genauigkeit oder in bemerkenswerth abweichender, wohl auch in beſserer Form des Textes.

Ich muſs beides mit Beispielen belegen, beschränke mich aber gern auf wenige.

Den *Lais dou chievrefuel* (No. xj.) hat bereits früher aus eben dieser Handschrift Hr v. d. Hagen bekannt gemacht (Minnesinger 4, 579. 580), jedoch wahrlich nicht fehlerfrei. So liest man bei ihm, nachdem gleich die Rubrik unrichtig wiedergegeben (*Tristans. li lai dou chieure fuel.*) Str. 1, Z. 3 *chairiet* statt *chaiciet*; 3, 6 *de bonaire uient* st. *debonairement*; 6, 3 *keu* st. *keil*; 8, 2 *discor* st. *deſcort*; ebenda 5 *et porteer* st. *et port et porteir*; 10, 5 *mercet* st. *mercit*; ebda 6 *en* st. *me*. Mein Abdruck stimmt überall zu den Buchstaben des Originales.

Die beiden Romanzen Aidefrois, No. i und ij, finden sich auch in dem genannten Romancero pg. 32—35 und 5—10 nach Pariser Handschriften, die zweite, wie der Herausgeber sagt, wovon jedoch sein Abdruck kaum eine Spur enthält, noch mit Benutzung unsrer Bernerischen. Es lauten aber diese Gedichte bei Paris also.

En chambre à or se siet la bele Béatris,
Demente soi forment, en plourant fait ces cris:
„Hé Diex conseilliez moi, biaus pères Jesu-Cris,
„Enchainte sui d'Ugon, si qu'en lieve mes gris,
„Et à moillier me vuet prendre li dux Henris.“
Bien sont asavouré li mal
Qu'on sent por fine amor loial.

„Lasse!“ fait-elle en bas, „que porrai devenir!
„Coment oserai-jou devant le duc venir!

„Quand ne lairoie à moi atouchier n'avenir
„Nul home fors Ugon s'il men loist convenir.
„Bien li devroit de moi membrer et sovenir."
Bien sont, etc.

„Dolente! sans conseil, mar vis onques le jor
„Que, premier, vis d'Ugon l'acointance et l'amor,
„Por coi je perderai la haltesse et l'onor
„Du dus qui entresait veut que l'aie à signor;
„Ains m'aura, se Dieu plait, cil qui en ot la flor."
Bien sont, etc.

Que qu'ensi fait son duel la bele à cuer irié,
Uns escuiers l'entent qui ert de s'amistié,
En devant Béatris s'est en estant drecié:
Quant la dame lou voit, a son cuer rehaitié;
Puis li a son voloir et son bon encargié.
Bien sont, etc.

„Frère vos avez bien oï mon convenant;
„Alez-moi dire Ugon, sans point d'arrestement
„Qu'en mon père vergier l'atandrai sous l'aiglent.
„Garde qu'en cest besoin nel trouve mie lent."
Li escuiers respond: „Bele, à vostre talent!"
Bien sont, etc.

Li escuiers s'en va, tant qu'a trové Ugon,
Conta li mot et mot toute l'entansion
De belle Béatris à la clere façon;
Que ses convens li tiegne que entr'as dous fait ont.
Et quant Ugues l'entent, ne dit né o né non.
Bien sont, etc.

Ugues a entendu que dist li escuiers
De belle Béatris que l'atent en vergiers.

De la joie qu'il a, saillit tantot el piés
Et a dit à valet: „Reva-t-en en ariés,
„Et me dis à ta dame j'y vois sans delaiés.“
Bien sont, etc.

Ugues s'arma tantost il et seus compaignons,
Et monta el chival sans point d'arestisons,
Et est venus à l'aire où cellé est qui ses bons
Est preste asévir à ses devisions:
Ugues tressaut li mur, si l'a mis sur l'arçon.
Bien sont, etc.

Ugues s'en est tornés, s'ammoine Béatris,
En sa terre est venus, qu'ains n'i ot contredis.
La dame ot espousée, puis en fist ses delis,
Bonement sont ensemble come amie et amis.
Quant ses peires lou sot, de rien ne contredist.
Bien sont asavorés li mal
Qu'on trait por bone amor loial.

Bele Isabeaus, pucele bien aprise,
Ama Gérart et il li, en tel guise
Qu'ainc de folour par li ne fu requise;
Ains l'ama de si bonne amour
Que mieus de li garda s'onour.
Et joie atent Gérars.

Quant plus se fut bone amour entr'eus mise
Par loiauté affermée et reprise,
En cèle amour la damoisele ont prise

Si parent, et donné seignour
Contre son gré un vavassour.
Et joie atent Gérars.

Quant sot Gérars cui fine amors justise,
Que la bele fust à seigneur tramise,
Grains et mariz, fist tant par sa maistrise
Que à sa dame en un destour
A fait sa plainte et sa clamour.
Et joie atent Gérars.

— „Amis Gérars, n'aiez jà convoitise
„De ce voloir dont ainc ne fu requise;
„Puisque je ai seigneur qui m'aime et prise,
„Bien doi estre de tel valour
„Que je ne doi penser folour."
Et joie atent Gérars.

„Amis Gérars, faites ma commandise,
„R'alez-vous-en, si ferez grant franchise.
„Morte m'auriez, s'od vous estoie prise;
„Mais metez-vous tost el retour:
„Je vous commant au créatour."
Et joie atent Gérars.

— „Dame, l'amour, qu'aillours avez assise,
„Déusse avoir par loiauté conquise.
„Mais plus vous truis dure que pierre bise;
„S'en ai au cuer si grant dolour
„Qu'à biau semblant souspir et plour."
Et joie atent Gérars.

„Dame, por Dieu, fait Gérars, sans faintise,
„Aiez de moi merci, par vo franchise:

„La vostre amors me destraint et atise,
„Et par vous sui en tel errour
„Que nus ne peut estre en greignour.“
Et joie atent Gérars.

Quant voit Gérars, cui fine amors justise,
Que sa dolors de noient n'apetise,
Lors se croisa de deul et d'ire esprise,
Et pourquiert ensi son atour
Que il puist movoir à brief jour.
Et joie atent Gérars.

Tost muet Gérars, tost a sa voie quise:
Avant, tramet son esquier Denise
A sa dame parler, par sa franchise.
La dame est jà par la verdour,
En un vergier cueillant la flour.
Et joie atent Gérars.

Vestue fu la dame par cointise;
Mout est bele, graile, gente et alise,
Le vis avoit vermeil come cerise.
„Dame,“ dit il, „que très bon jour
Vous doint cil que j'aime et aour!“
Et joie atent Gérars.

„Dame, por Dieu,“ fait Gérars sans faintise,
„D'outremer ai por vous la voie emprise.“
La dame l'ôt, mieus vausist estre ocise.
Si s'entrebaisent par doçour,
Qu'amdui chaïrent en l'erbour.
Et joie atent Gérars.

Ses maris voit la folour entreprise;
Pour voir, cuida la dame morte gise

Lès son ami: tant se het et desprise
Qu'il pert sa force et sa vigour
Et muert de deul en tel errour.
Et joie atent Gérars.

De pamison lievent par tel devise
Qu'il firent faire au mort tot son servise.
Li deus remaint, Gérars par sainte Eglise
A fait de sa dame s'oissour.
Ce tesmoignent li ancissour.
Or ait joie Gérars.

Ich meine, hier sei es unschwer zu entscheiden welche Recension den Vorzug verdiene, welche den reinen, echten, nicht durch Nachlæfsigkeit verkürzten, nicht durch Willkür erweiterten Text des Ganzen, welche von beiden auch in einzelnen Lesarten das Befsere und Ursprüngliche gewähre. In der ersten Romanze zum Beispiel: der Zorn, die Abweisung, der jammervolle Tod des betrogenen Herzogs, wie davon der Berner Text berichtet, alles das gehœrt zum runden Abschlufs der Erzählung, und ist durchweg in der genugsam bekannten Weise Aidefrois: der Text des Romanceros macht aus der Person einen blofsen Namen, der genannt wird und verschwindet. Und wie leer, wie farblos ist gleich in der zweiten Zeile die Pariser Lesart *en plourant fait ces cris* statt der Bernerischen *en plorant trait cef fif*, Worte die nur zur Anführung anderer dienen statt einer ganzen epischen Situation!

III.

Es schien mir rathsam und von Nutzen zu sein, wenn der Druck ein mœglichst getreues Bild der Bernerischen Handschrift wiedergæbe. Nur dafs Zeilen und Strophen nicht auch unabgesetzt hinter einander stehn, sonst folgt er seinem Original buchstæblich. Also keine Accente, keine Apostrophe nach neufranzœsischer Art: sie wæren leichtlich gegen die altfranzœsische gewesen, und wohin sollte man denn bei Verschleifungen wie *manfance* 15, 4, 2. *mamie famie famor* 17, 5, 6. *faide* 8, 1, 8. *cefcrie* 48, 6, 3 das beliebte Hækchen setzen? keinerlei Interpunction aufser den Punkten am Schlufs der Verse und den Fragezeichen, wo auch diese schon die Handschrift selber giebt: bei dem natürlichen Einklang zwischen den metrischen und den syntactischen Gliedern der alten Dichtung scheint es genug an der Sonderung jener; keine Trennung der proclitischen Wörter, der Artikel, der Pronomina, der einsylbigen Præpositionen u. s. f. von dem nachfolgenden Verbum oder Substantivum: die Schrift des Mittelalters will einmal (es geschieht auch im Lateinischen, im Deutschen) dergleichen Wortverbindungen als Ein Wort aufgefafst wifsen: also *lanuit et loudemain* 1, 9, 1. *vofranchixe* 2, 6, 2. *agais* 10, 6, 8. *embaillie* d. h. *en baillie* 7, 6, 10. *itande* 11, 7, 4. *kelaie* 1, 7, 3. *kilpert* 2, 11, 4.*) Auch ist kein i gegen j,

*) Der Gegensatz davon ist die Theilung componierter Wörter, die altdeutschen Schreibern gleichfalls geläufig ist: *en main* 1, 9, 5. *de guille* 7, 4, 8. *de laier* 10, 6, 7. *chieure fuel* 11, 1, 6 u. a.

kein *u* gegen *v* vertauscht worden, und diefs ebenfalls aus grammatischem Grunde, um nicht voreilig festzustellen was doch nicht feststeht. Heifst es z. B. *avris* 3, 1, 1 wie man jezt *avril* ausspricht? aber man spricht auch *aurai*, und doch ist diefs aus *averai* d. h. *avoir ai* entstanden (3, 5, 4. 20, 4, 10. 24, 2, 6. 35, 4, 6. *auront averont* neben einander 45, 16, 1. 2) wie *faurai* aus *faverai*, *parole* prov. *paraula* aus *parabola*, *forge* aus *fabrica*. Oder heifst es *auris* mit vocalischem *u*? aber man spricht jezt *devrai*, aus *feparare* ist *fevrer* (9, 2, 5. 30, 5, 1) aus *recuperare recovreir* (1, 15, 2) geworden, und nach *breuvage* könnte man auch in *bouraige* 10, 4, 1 ein consonantisches *v* vermuthen.*) Unter solchen Umständen war Beibehaltung des urkundlichen *u* das unvorgreiflichste. Ebenso mit *i* und *j*. Zwar dafs z. B. *ie* consonantisch sei gesprochen worden, unterliegt wohl keinem Zweifel, da auch *ge* vorkommt 15, 1, 6. 26, 4, 5. 48, 5, 8: aber ob auch die alterthümlichere Form *ieu*? hier scheint das ital. span. *io yo* und das *eo io* der Eide von Strafsburg eher für den Vocal zu entscheiden.

Also buchstæblicher Abdruck des Originals; auch mit allen Fehlern desselben. Die Befserung hat in den meisten Fällen eben keine Schwierigkeit. Häufig hilft schon der Reim auf die richtige Lesart: so z. B.

9, 3, 1 wo *mis ai* zu schreiben	26, 2, 1 *vi*
11, 5, 1 *choie*	28, 3, 5 *affis*
12, 1, 7 *merciee*	44, 3, 3 *leuee*
12, 2, 3 *peir*	46, 4, 1 *enpris ai*
13, 3, 6 *uoi ma mort*	49, 2, 1 *gamenteir loi*
13, 4, 1 *depuet?*	51, 3, 4 *gonete*
15, 4, 2: 9 *manfante: atente*	51, 5, 3 *de celle famie;*
24, 5, 1: 2 *anui: fui*	

*) vgl. *vrai* 21, 3, 2. 29, 3, 1. 43, 3, 1 aus *verai* 3, 2, 4. 7, 2, 7. 14, 4, 4 u. a.

oder schon das Metrum zeigt daſs etwas mangle, einzelne Sylben wie

8, 6, 3 *ceste* stehn sollte,
11, 6, 1 *partirait*
23, 4, 4 *a hontous*
25, 5, 2 *naueroit*
30, 1, 1 *joi*
32, 2, 11 *aueront*
42, 2, 5 *isteroit;*

einzelne Worte wie

1, 8, 3 vielleicht *et* und *tous*,
1, 11, 1 *cors*
2, 12, 1 *li et*
17, 3, 3 *ameir*
23, 3, 6 *et*
34, 6, 3 *le*
46, 3, 4 *en*
46, 5, 2 *le*
48, 3, 5 *me*
48, 3, 6 *ke;*

ganze Verse wie 16, 1. 5. 20, 3. 24, 5. 26, 2. 33, 1. 37, 2. Auſserdem will ich nur beispielsweise noch auf einige Versehen des alten Schreibers aufmerksam machen.

1, 3, 3 lies *lacoentixe*
1, 4, 1 *Kikensi*
1, 9, 4 *beatris*
1, 9, 5 *ai*
1, 12, 5 *refuseir*
1, 16, 5 *se fist*
2, 7, 1 *voit*
2, 12, 5 *tesmoignent*
5, 5, 1 *sentente*
6, 1, 1 *On*
6, 3, 5 *asavoix*.
7, 3, 2 *faint et ment*
7, 3, 5 *teils que*
7, 4, 8 *aguilleir guille*
7, 6, 5 *gairdant la gairde*
8, 6, 10 *cant*
9, 1, 1 *jolif*
10, 1, 1 *a moy*
10, 2, 3 *feu*
11, 1, 3 *choisit*
11, 10, 6 *puis*
11, 11, 3 *ke ne*
12, 2, 3 *dirai ie*
17, 3, 3 *son*
20, 4, 1 *Enceluj*
21, 5, 3. 4 *et*
22, 5, 4 *maimment*
29, 4, 7 *ont b. a. de*
32, 2, 3 *courrous*
39, 2, 5 *loieif*
40, 3, 12 *pelerin*
40, 4, 12 *meskin*
41, 4, 1 *Comme*
45, 2, 2 *fust*
45, 8, 3 *estelle*
45, 11, 3 *fut deliteis*
45, 11, 4 *a dolor*
45, 17, 2 *le*

46, 4, 6 *os* | 49, 2, 10 *aulcun*
46, 5, 6 *esbanoie* | 49, 7, 7 *asseis*
47, 5, 2 *dairbrexelz* | 51, 2, 4 *deduissans*
49, 1, 10 *maveis* | 52, 2, 4 *kil*

Man sieht, verhältnissmæfsig die meisten Fehler haben das 1. 7. 11. 45. 46 Gedicht, Gedichte theils von hœherem Alter, so dafs den Schreiber eine verbleichte unleserliche Urschrift stœren mochte, theils von beirrender Schwierigkeit der Versform und der Rede.*)

Sonst aber zeichnet sich unsre Liedersammlung durch seltene Correctheit aus, und stellt die franzœsische Sprache des dreizehnten Jahrhunderts in solcher Sauberkeit der Linien und der Farben dar, dafs in grammatischer Hinsicht wenig andere Handschriften so lehrreich und mafsgebend sein dürften als sie. Es wird deshalb wohl angebracht sein, auf sie-gestützt einige Hauptpunkte der altfranzœsischen Grammatik ins Auge zu fafsen. Ich wähle zu dieser Betrachtung solche, in denen theils die Abweichungen der alten von der neueren Sprache besonders characteristisch hervortreten, theils die Nachwirkung des lateinischen, die Einwirkung des deutschen Elementes und namentlich mit letzterm im Zusammenhang der moderne Sprachgeist sich vorzüglich bemerkbar machen.

1°. SCHREIBUNG UND AUSSPRACHE.

Bei einem Idiom das solcher Mafsen wie das Franzœsische die Grundlaute verändert und häufig denselben Buchstab je nach Gelegenheit bald so, bald anders ausspricht, mufs in nothwendiger Folge die schriftliche Darstellung etwas ungewisses erhalten und hier und dorthin schwan-

---

*) Druckfehler habe ich bis jezt nur folgende wahrgenommen.

11, 6, 4 lies *faichief* | 22, 5, 3 *deauf*
20, 4, 9 *dome* | 25, 1, 1 *Tuit mi desir*
21, 7, 9 *Ierusalem* | 31, 2, 3 *nof*

ken zwischen dem alten und dem neuen Laute, zwischen dem was die Etymologie und dem was die lebendig geltende Aussprache fordert. Das Neufranzœsische hält sich, im Ganzen genommen, an jene und sucht auch da, wo der Laut nicht mehr der lateinische ist, doch mit dem lateinischen Zeichen auszukommen; ja es schreibt Laute die gar nicht mehr gesprochen werden. Anders das Altfranzœsische; so denn auch unsere Handschrift. Hier übt in der Schreibung die wirkliche Aussprache ein stark überwiegendes Recht gegen die Etymologie. Zwar ohne consequente Durchführung: die war nicht wohl mœglich; aber auch so immer lehrreich und mehr als eine Frage entscheidend. Wo die schriftliche Darstellung eines Lautes zwischen beiden Principien schwankt, erfahren wir damit welcher Etymologie man sich wohl bewufst gewesen, wie aber doch die lebendige Sprache davon abgewichen sei; wo die Schreibung überall sich gleich bleibt, geht daraus hervor dafs sie noch den lebendigen Laut getroffen und man das Wort grade so auch gesprochen habe.

Es gab mithin im Altfranzœsischen noch kein stummes *s*: dieser Consonant ward noch überall gehœrt: denn man schreibt ihn noch überall.

Aber das *t* verstummte damals schon: *chevachiet* 1, 9, 1 und *enbraiſſie* 1, 11, 1. *faveteit* 39, 2, 3 und *deitei* 39, 1, 3. *pitiet* 31, 4, 4 und *pitie* 31, 4, 1. *trait* 6, 2, 8 und *acoilli* 6, 2, 2. *ent* (lat. *inde*, Eid v. Strafsb. *int*) 17, 5, 1 und *en* 13, 6, 1. *pert* und *per* 24, 3, 7 stehn beide, sogar durch den Reim gebunden, neben einander; nur ist doch die ungeschmælerte Form häufiger.

Und auch in folgenden Fällen schwankt die Schreibung so, dafs meist schon für das Altfr. die heut übliche Aussprache sich ergiebt.

Quant und *kant* oder *cant*, *quoi* und *koi*, *qui* und *ki*, *que* und *ke*: also das zum *q* gehœrige *u* vor beiderlei Vocalen, vor den *a*- wie vor den *i*-lautenden, bereits erloschen.

Vor i-haltigen Vocalen *ſ* statt *c* und *c* statt *ſ*: *anſainte* (lat. *incincta*) 1, 1, 4. *ſe (ecce hoc)* 4, 2, 3. *ſeans (ecce intus)* 22, 4, 5. *ſerixe (cerafus)* 2, 9, 3. *iſi ſi (ecce hic)* 33, 5, 1. 34, 3, 3. *ſil (ecce ille)* 11, 2, 5. und *ce* (*ſe*) 48, 6, 3. *ce* (*ſi*) 18, 5, 2. *ces* (*ſuus*) *pencee* (*penſata*) 35, 2, 1. *forcenerie* (*ſen* altd. *ſin*) 41, 2, 2: also *c* und *ſ* schon damals in dem gleichen Zischlaut zusammentreffend.

Xours (nfr. *ſourd*) 37, 1. *conxeus* (*conçu*) 21, 8, 8. *oſaixe* (*oſaſſe*) 25, 4, 4. *baiſſier* und *baixier* 6, 2: mithin auch *x* ein geschärftes und gleich einem doppelten *ſ**): also *prixon pluxor raixon faintixe* 2, 6, 1. *atixier* 2, 6, 3. *ſaixir plaixir oxeles* 15, 1, 1. *medixans*, *palaix prix malvaix fix gix* 4, 3, 1. *croix* u. s. f. gleichfalls mit geschärftem, nicht wie jezt mit dem weichen oder gar einem stummen *ſ* gesprochen. Der Grund der Schärfung ist hier überall das ursprüngliche Zusammenstoſsen eines Zischlautes mit nachfolgendem *i* oder *e*: lat. *baſiare prehenſio pluſior ratio finctitia titio*, goth. *ſatjan*, lat. *placere avicellus dicens palatium pretium*, goth. *balvavéſis*, lat. *feci jaceo crucem*. Woher dann aber der gleiche Laut in *maix plux paradix païx*? ward hier das *ſ* dadurch verstärkt und geschärft, daſs es schon in dem lateinischen Grundworte enthalten war (*magis plus paradiſus pagenſe*) und nicht der wandelbaren Flexion erst des Franzœsischen angehœrte? Denn das flectierende *s* wird immer mit *s* bezeichnet oder auch mit *z*.

Und dieses *z* muſs weich gewesen sein wie jezt: vgl. *ozeir* 1, 7, 2. 24, 4, 5. *roze* 45, 3, 2. *rouzée* 45, 10, 7. *eglize* 2, 12, 3. mit nfr. *oſer roſe roſée égliſe*. Darum auch

---

*) wie man es schon in antiken Worten gewohnt war aufzufassen: aus *exire* ist *iſſir* geworden, und einem altdeutschen Dichter, Herbort im Trojanerkr. 4054, lautet *Xerxes* wie *zerſes*.

folgt es im Auslaut besonders gern auf das weich liquide *l: chevalz malz keilz teilz muelz duelz nulz doulz.* In der Verbindung *tz* (*piteitz* 30, 5, 8. *futz* d. h. *fust* 45, 10, 7) kann sich Einflufs der deutschen wie der griechischen Orthographie verrathen.

Je und *ge* (oben S. 122), *maingerai* 34, 1, 9 und *manje* 30, 4, 9. vgl. *geteir* 34, 3, 3. *desranjer* 8, 1, 4: also auch *g* und *j* wie dort *c* und *f* gleichlautend.

Auslautendes *n* öfters gegen *ng* vertauscht: *preng* 35, 7. 8. *plaing tieng* 47, 5, 1. *loing* 17, 1, 2. *befoing:* also nasal gesprochen.

Und wieder im Auslaut und vor nachlautender Consonanz *n* für *m: tens* (lat. *tempus*) *menbreir* (*memorare*) *mien* (*meum*) *rien* (*rem*) *crien* (von *cremir* lat. *tremere*) *ain* (*ameir*) *clain* (*clameir*) *nons* (*nomen*) *hons* (*homo*), pronominal *om* und *on:* also auch *m* an dieser Stelle nasal.

Endlich *en* und *an* (lat. *in*), *fen* und *fan* 24, 3, 7 (altd. *fin*), *fens* und *fans* (lat. *fine*, ital. *fenza*), *pefence* (*penfantia*) und *penitance* (*pœnitentia*) 16, 1. *celleement* (*celata mente*) und *fermemant* (*firma mente*) 7, 6. *entre* und *antre* (*intra*) 1, 12, 4. *fanteit* und *fenteit* (*fanitas*) 18, 1, 3. *femblant* 12, 4, 3 und *famblant* 7, 4, 3. (*fimilans*): also schon im Altfranzœsischen der Vocal *e* mit ergriffen von der nasalen Aussprache des nachfolgenden *n* und *m*.

Über andre Punkte befser in den folgenden Abschnitten.

2°. CONSONANTVERHÄRTUNGEN UND VEREINFACHUNGEN.

In mehreren deutschen Sprachen gehœrt es zu dem Wesen der s. g. mediæ, dafs sie um rein ausgesprochen zu werden eines Vocales hinter sich bedürfen, also nur im An- und Inlaut mediæ bleiben, sobald sie aber in den Auslaut kommen, auf eine andere Stufe des gleichen Organes übertreten, sich aspirieren oder zur tenuis sich verhärten.

So im Gothischen, obwohl nicht ausnahmlos, *b* und *d* in *f* und *th*: *giban biudan*, imperf. *gaf bauth*; im Mittelhochd. wird regelrecht die tenuis eingetauscht: *geben gap, liden leit, tragen truoc*; *hoves* nom. *hof* und *fehen fach* stehn im gleichen Verhältniss.

Eben das gilt nun auch in einigen Sprachen der romanischen Völker. Zwar in der Neufranzœsischen nur noch bei *v*: z. B. *cheveu achever chef, ivette if, bouvillon bœuf, cervier cerf*; aufserdem noch bei *d* in den Gerundien auf *ant* lat. *ando endo* und der Partikel *dont* d. h. *deunde* ital. *donde*; im Altfranzœsischen aber wie im Provenzalischen auch sonst noch überall bei *d* und bei *g*. Unsre Handschrift wenigstens ist streng darin, und sie gewährt *veut* 22, 5, 5. *piet* 49, 6, 4. *foit* 21, 6, 6. *froit* 47, 5, 8. *prout* 11, 4, 7. *cuit* 16, 3, 1. *grant quant vant* 20, 2, 2. *comant demant atant entant rent prent mont gairt* 1, 5, 4. 22, 7, 2. *esgairt* 31, 3, 7. *resgairt* 17, 2, 5. *pert xort* 37, 1; *fanc* 20, 3, 6. *lonc**); *richief* 48, 3, 8. *cleif foeif* 28, 5, 8. *jolif louf* 20, 2, 2: vgl. nfr. *joliveté louve louvet*.**) *B* und *p* kommen im Franzœsischen nicht vor, da eben auch sie zu *v* und *f* werden; wohl aber im Provenzalischen: *loba lop, cabelh acabar cap*.

Doppelconsonanten können nur in der Mitte zweier Vocale bestehn: so wie sie in den Auslaut treten, werden auch sie verändert, næmlich vereinfacht, weil nun der zweite Consonant den vocalischen Anhalt verliert. Das Altdeutsche bezeichnet diese Verkürzung auch in der Schrift: *aller al, rinnen ran, roffes ros, fpotten fpot*. Ebenso das Franzœsische: *belle bel, annėe an, groffe gros, battre bat* u. dgl.

---

*) in *loing* 17, 1, 2 bezeichnet *g* nur den Nasenlaut: vgl. nfr. *long* und *loin*.

**) schon das Afr. apocopiert auch solche *f*: *fer* 35, 4, 4. *Raioul* 35, 7, 2 altd. *Radolf*.

3°. HIATUS UND DESSEN TILGUNG.

Die altfranzœsische Sprache hat in Folge des häufigen Consonantenausfalls zahlreiche Worte und Wortformen in denen zwei Vocale unvermittelt und ohne diphthongische Verschmelzung zusammentreffen. Die Dichter stofsen sich daran nicht, und es stœrt ihnen dergleichen den Wohlklang der Verse ebenso wenig, als im Griechischen ἐΰς ἐΰ̈ος ἐάων für einen Misslaut galten. Erst das neufranzœsische Ohr mag solches ungern hœren, und der Hiatus hat fast überall, selbst mit grofser Beeinträchtigung der Etymologie, bald diesem, bald jenem Tilgungsmittel weichen müfsen.

Bald einer Verschluckung des ersten Vocals, der alsdann immer ein *e* ist: lat. *bibere*, ptc. perf. ital. *bevuto*, afr. *beüt* 33, 5, 9. nfr. *bu*; *debere debuiſſem*, *deüſſe*, *duſſe*; *habere habuiſſem*, ptc. perf. ital. *avuto*, *eüſſe eüs* 7, 2, 5; *ſecurus*, *ſeürs aſeüreir* 28, 5, 5. 6. 34, 4, 2. *deſeüreir* 18, 5, 1. für *aſſurer*; *fecimus feciſſem*, *ſeïmes* 22, 4, 4. *feïſſe* 20, 1, 8. 25, 3, 5. *fimes fiſſe*; *cadere cheoir cheïrent* 2, 10, 5. *meſcheoir* 25, 3, 7. *meſcheant*, *choir méchant*; *videre vidi*, ptc. perf. ital. *veduto*, *veoir veï* 44, 3, 3. *veü* 24, 2, 3. 25, 1. 4. *voir vis vu*; *ſedere ſeoir* 49, 1, 1. 2, 4; *redemptio reanſon* 22, 1, 5. *rançon*; *benedictus beneois* 43, 2, 6. *Bénoit*; ahd. *weidanjan* jagen, *gaaignier* erjagen 20, 3, 5. *gagner*; *Johannes Jehans Jehanain* 34, 6, 5. *Jean Janin*; *concipere*, ptc. perf. ital. *conceputo*, *conceüs* 21, 8, 8. 43, 2, 7. *conçu*; *ſapere ſapuiſſem*, ptc. perf. ital. *ſaputo*, *ſeüſſe* 41, 2, 6. *ſeü* 26, 1, 3. *ſuſſe ſu*; *cognoſcere*, ptc. perf. ital. *conoſciuto*, *coneüs* 1, 8, 5. *connu*; *poſſe potuiſſem peüſſe puſſe*; *aviaticum eaige âge*.

Bald einer diphthongischen Zusammenziehung oder Synæresis: *judæus*, goth. *judaiviſk*, *juïs juïf* 40, 4, 12. 41, 5, 3. *juïe* 41, 4, 2. *juiſ*; *traditor traïtor* 30, 4, 7. *traître* (neben *traïr trahir*, *traïxon trahiſon*); *regina roïne* 33, 5, 10. 45, 8, 7. *reine*; *magiſtritia maïſtriſe* 2, 3, 3. *maîtriſe*; *ad-*

juta adjutare, ädjudha ajudha Eide v. Strafsb. *aïde* 8, 1, 8. (*aïe, aiue* 8, 2, 6. 5, 5) *aïdier* 14, 2, 1 (*aiueir* 8, 6, 8. *aüeir* 20, 4, 2) *aide aider*; goth. *hatjan haïr, haïne* 33, 5, 8. *haine; bene-auguratus male-auguratus, bien eüreis* 45, 3, 2. *maleüreis* 18, 1, 4. 45, 14, 2. *bienheureux malheureux**); *joculator peccator vantator, jangleor* 17, 4, 1. *pecheor* 39, 2, 2. 44, 1, 3. *vanteor* 9, 3, 9. *jongleur pécheur vanteur; pavor paor* 26, 3, 4. 9. 4, 3 (statt *pooir*). *poour* 47, 5, 11. *peur*. vgl. unten S. 138.

Zwar kommen beiderlei Tilgungen auch schon im Mittelalter vor, jedoch nur selten, und was wohl zu beachten ist, gewöhnlich dann aus metrischer Nœthigung; also gerade wie im Latein der classischen Zeit. Solcher Art sind *ranfon* 20, 3, 6; *feanf* (*céans*) 51, 3, 2; *meum meon mon; refut* 21, 2, 6; *jacere*, ptc. perf. ital. *giaciuto, jeut* 21, 1, 2; *malois* (für *maleois maledictus*) 51, 1, 6. 52, 4, 1; und *juis* 44, 3, 4; *audio oi* 12, 2, 1; *maiftrie* 7, 4, 9 u. a; *aidier* 20, 3, 4. 44, 1, 5. 3, 6; *poffe potere pooir* 26, 1, 4. *pueent* 20, 3, 4; vgl. *poverte* zweisylbig 23, 6, 6. *Deus* und *ieu* (*ego*) werden nie anders als einsylbig gebraucht**); *fuffe* kommt durch *fuiffe* 24, 3, 1. 40, 5, 5. *füiffe* 32, 1, 10 aus *füiffem*.

4°. DIPHTHONGIERUNG UND VERLÄNGERUNG DER VOCALE DURCH CONSONANTENAUSFALL.

Wenn in den so eben besprochenen Wörtern der Consonantenausfall einen Hiatus und erst die gelegentliche oder moderne Tilgung des letztern einen Diphthongen bewirkt, so treten daneben in überwiegender Anzahl andre wo der Ausfall eines Consonanten die Diphthongierung des

---

*) wie die Substantiva *boneürs maleürs* s. v. a. *bonum, malum augurium*; die nfr. Schreibung *bonheur malheur* u. s. w. giebt den Worten einen falschen Bezug auf *heure*.

**) prov. *deus deu, dios dio* ein- und zweisylbig.

vorangehenden Vocals zur unmittelbaren Folge hat, wo gleich nach Beseitigung des einen der einfache Laut des andern sich mit *i* oder *u* zu einem Doppellaut verbindet. Es geschieht aber dergleichen auf zwiefachem Wege.

Entweder verbinden sich die zwei Vocale die zuvor durch den Consonanten getrennt waren, nun aber bei dessen Ausfall zusammenstofsen (unbetontes *e* wird dabei in gewohnter Weise gleich *i* gerechnet): *habeo habeam, ai aie; facere* und ebenso *placere tacere, faire plaire taire; vadis vadit, vais vait; gracilis graile* 2, 9, 2; goth. *vadi gais* 10, 6, 8; ahd. *smâhjan esmaier; sapio sapit, sai seit; adsatis aisseis; amavi amavissem, amai amaisse; gaudium gaudiosus, joie joious; debeo debeam, doi doie; laxare habeam, lairoie; brogilus bruels* 13, 1, 2; *scutellum escuel* 11, 1, 5; *hodie hui; cogitare cuidier coitous* 14, 2, 7; ahd. *trefan troveir* (*trovavissem trovissem*) *truisse* 1, 5, 4; *habui habuit, ou* 1, 3, 2. 49, 3, 11. *out* 12, 1, 6.*)

Oder aber es bleibt, indem der grœbere Körper des Consonanten aus dem Wort verschwindet, ein leis vocalischer Laut der mit in ihm enthalten war zurück und verschmilzt nun mit dem stärkern welcher bereits vorhanden.

Am deutlichsten und unzweifelhaftesten ist diefs der Gang der Lautveränderung wo es Halbconsonanten wie *l* und *n* und *s* betrifft.

Die Liquida *l* hat in der altfranzœsischen wie in mehreren andern Sprachen eine zwiefache Beschaffenheit: der vorangeschlagene und begleitende Vocal ist entweder ein *u* oder ein *i*: vgl. unten Nr. 6. Und zwar scheint ersteres *l* voller vocalisiert als letzteres: denn fast nur jenes

---

*) *o* 22, 6, 4. 49, 4, 1. *ot* 1, 3, 5. *orent* 1, 12, 3. *so sot* aus *sapui sapuit* 1, 13, 1. 49, 6, 9. *font vont* aus *faciunt vadunt* zeigen wie das häufige *o* aus *ab* statt der Diphthongierung nur den Misch- und Mittellaut von *a* und *u*.

wirkt auch wo es ausfällt noch dipthongierend; letzteres zeigt sich uns nur dreimal so: lat. *ad-velle*, fr. *aveis* 49, 3, 12; *hospitale osteis* 38, 2, 6. 45, 10, 3; *dulcis duis* 1, 16, 6.*) Dagegen lat. *fallere fallit*, fr. *faut* 45, 6, 3; *solalis solaus*: *jornals* 45, 8, 1; *alba aube* 4, 1, 1; *aliqui unus*, ital. *alcuno*, *aucun*; altd. *bald*, *baus* 23, 4, 2. *resbaudir* 49, 7, 12; *excalfacere eschaufeir* 33, 1, 3; *falsus falsare falsitas*, *faus fauceir fauceteis* 9, 1, 6; *altus haus* 29, 6, 6. *haut haute***); *salire salit saut*; *alter autres*; *ecce illud*, *ceu*; *ad illum* (oder gar noch altlat. *ollum*?) *ou*; *de illum*, *dou*; *consolari consout* (für *consaut* 37, 3, 8), subst. *consous* 8, 5, 5; *excollocare escoucheir* 1, 16, 3; *auscultare escouteir*; *ultra outre*.***) Neben all diesen auch manche Fälle wo die liquida ausgestofsen ist ohne jedoch jene Wirkung hinter sich zu lafsen: *caballicare chevachier* 1, 9, 1; neben *baudor* 47, 1, 6. 12. auch *badour* 47, 2, 9; *eleemosyna eleemosynaria*, *amone* 23, 5, 2. *amoniere* 48, 4, 3; *balsamum bames* 45, 5, 1. *enbameir* 45, 11, 1; *ad illos*, *as* 11, 12, 6. 17, 4, 3. 4; *faseir* 7, 3, 3. 4; *atres* 7, 2, 4. 49, 2, 12; *salvamentum savemens* 34, 2, 7: *salvitas saveteis* 39, 2, 3; *silvaticus savaiges* 8, 4, 6; goth. *balvavésis mavaix* 4, 5, 4. 38, 1, 6 und neben *volcist* 2, 10, 3 auch *vosisse* 16, 4, 9. Hier ist überall blofse Verlängerung des Vocals anzunehmen.

Dem Sauselaut *s* schlagen die romanischen Idiome ein *i* oder mit stumpferer Aussprache ein *e* vor; letzteres vorzüglich

---

*) Umgekehrt im Italiænischen, wo die Färbung mit *u* gar nicht zu gelten scheint, dagegen nach vorlautender Consonanz ein *i* an die Stelle der liq. tritt: *blôz biotto*, *cludere chiudere*, *flamma fiamma*, *glomus ghiomo*, *plenus pieno*.

**) *haities* 46, 3, 4. lies *haltis* oder *hauties*, wie afr. *hausser*.

***) Das niederl. *ou* für *ol* und *au* oder *ou* für *al* ist auf nachfolgendes *d* und *t* beschränkt: *hout* Holz und hold, *baut* oder *bout boudes* bald.

das Franzœsische*); beides aber nur im Beginn der Worte, und wenn noch ein Consonant dahinter steht der es dem Sauselaut unmœglich macht an einen nachfolgenden Vocal sich anzuschliefsen. Also ahd. *ſnel ſmdhjan ſcrian*, lat. *ſcribere ſpiritus ſtare ſtrictus*, altfr. *iſnel eſmaier eſcrier eſcrire eſperis eſteir eſtrois.***) Und wie nun das Neufranzœsische in dergleichen Fällen den Consonanten *ſ* zu tilgen pflegt (*écrier écrire, eſteit été, étroit*), so zuweilen auch das Altfranzœsische schon: *inel* 47, 1, 2. 4, 8. Sonst jedoch werden nur ursprünglich inlautende *ſ* von der Tilgung getroffen: aber das begleitende *i* bleibt zurück und diphthongiert den vorlautenden Vocal: *ſpaſmatio paimexon* 1, 6, 5***). *blasphemare blaimeir* 14, 4, 5 (aber *blameir* 35, 5, 6. 38, 4, 8); in *ſanctiſſima ſaintime* 41, 2, 1. 45, 18, 3 (vgl. *centiſme* 44, 2, 3) konnte das schon gegebene *i* nur verlängert werden, und auch das *e* der Sylbe *mes* (ahd. *miſſi*) ändert nach Beseitigung des Consonanten nur die Quantitæt: *mesdixant medisſans* 9, 3, 6. 9. Das Lateinische hat in häufigen Beispielen gleicher Art überall die Verlängerung: *reſmus* (gr. ἐρετμός) *remus*, *duſmus dumus*, *peſnis* (mhd. *fiſel*) *penis*, *poſno poſui pono*.

Die Liquida *n* schliefst in verschiedenen Sprachen verschiedne Vocale in sich, und so gilt bei ihrem Verschwinden bald diese, bald jene Diphthongierung. In Schwei-

*) Das ältere Italiænische ein *i*: *iſcherzo iſpirito iſtare;* und wie es nach dem Artikel überall ein anlautendes *i* zu tilgen pflegt (*lo 'mperadore, la 'nſantilitade*) so nun auch bei dergleichen Worten: *lo 'ſpirito* usf. Im Neuitaliænischen *ſpirito* ohne *i* und *l'imperadore*, aber noch *lo ſpirito*.

**) In solcher Weise geht *eſtreloit* 16, 2, 6 durch eine Mittelform *ſtralicum* oder *ſtaralicum* auf *ſextaralicum* (von *ſextarius*) zurück.

***) die Handschrift *pæmexon* wie 2, 12, 1. *painexon* statt *paimexon* oder auch *pamexon*. Das anlautende *ſ* ist abgefallen wie bei *ſphærula ſperula perle, ſpoliare pouiller, ſponſa pouſe* 45, 2, 3. *ſcrian crier*.

zerischen Mundarten Diphthongierung mit *a*: *finster feister*, *stinken steiche*, *gestunken gstauche*, *Zunst Zaust*, *Kunst Kaust*, *üns* (aus *unsich*) *eus*, *wünschen weusche*; zuweilen auch mit *i*: *Fenster Feister*, *denken deiche*. Im Griechischen wiederum theils mit *i*, theils mit *u*: τιθέντι τιθεῖσι, τύπτοντι τύπτοισι und τύπτουσι; die Form τιθέασι zeigt auch noch den dritten Vocal. Im Franzœsischen enthält der Buchstab bei nasaler Aussprache *a* oder *i*: vgl. S. 127 und Nr. 6; wo er dagegen beseitigt wird (und das pflegt vor *s* zu geschehen), zeigt sich wie zuweilen bei *l* nur die Wirkung des allgemeinen, nicht aber eines bestimmter gefärbten Vocalgehaltes: der vorangehende Laut wird bloſs verlängert: lat. *pensare pensantia*, fr. *peseir pesance* 27, 3, 4; *prehendere prindre* Eid v. Straſsb. *prinsus prinsio*, *pris prixon*; *pagense paix*. Denn auch Formen wie *poise* 10, 3, 4. *cortois englois françois mois* beruhen nicht unmittelbar auf *pensat curtensis anglensis franciensis mensis*, sondern vielmehr nach S. 140 auf einer durch den Accent bewirkten Hebung der mitten inne liegenden langen *e*, ital. *pesa cortese inglese francese mese*; *tres* aber aus *trans* steht vereinzelt. Also bloſse Verlängerung. Gerade so schon im Lateinischen des Volks und in den sächsischen und den nordischen Sprachen: *impesa cesor castresis lugdunesis mesis*; *Gans* altn. *gás*, ags. *gós*; *uns* alts. altfries. ags. *ús*. Und in eben diesen und im Hochdeutschen wird auch beim Ausfall anderer Consonanten so verfahren: *stahel* altn. mhd. *stál*; *habest liget*, mhd. *hâst lît*.

Beim Ausfall eines *g* diphthongiert jedoch das Mittelhochdeutsche regelmæſsig mit i, d. h. mit dem Vocale, der durch Vermittelung des *j* verwandt mit jenem Consonanten ist: *maget saget tregest gegen*, *meit seit treist gein*.*)

*) Daneben auch hier, aber seltener Diphthongierung mit *u*: *sagma* goth. *bagms*, hochd. *Saum Baum*; wie *seclum* afr. *seule* Eulalia 24; *Græcum Greu* 40, 5, 3; ob auch *aqua iauwe* 40, 2, 4. *eau* 11, 12, 10?

Nicht anders das Franzœsische, gleichviel ob das *g* ein ursprüngliches oder erst romanische Umbildung eines *c* ist: lat. *paganus*, afr. *pagiens* Eul. 12. 21. *paiens* 21, 1, 5; *fragrare flaireir* 11, 12, 9; *lex legalis, lois loiauls*; *rex regalis, rois regiel* Eul. 8. *roiauls*; *ligatus loieif* 39, 2, 5; *frigidus frois* 47, 5, 8. *effroier* 1, 10, 2. *froidure* 40, 1, 1. 6. *froidor refroidier* 33, 1, 1. 2; *fugere fuir fuiet* Eul. 14; und *facrament fagrament* Eid v. Strafsb. *fairemens* 22, 4, 3. 34, 1, 8; *lacrima lairme* 18, 2, 2; *pacare* ital. *pagare, paier* 20, 3, 6; *nec-ens noiant*; *plicare* ital. *piegare, pleier* Eulalia 9. *fouploier* 10, 2, 6; *precari* ital. *pregare, preier preiement* Eul. 8. 26. *proier* 10, 6, 6 u. a. neben *prieir* 4, 4, 3 u. a.

Wie sodann das Mhd. selbst nach dem Ausfall eines *d* zuweilen diphthongiert, wie es nach Analogie von *faget feit* wohl auch *badet fchadet* in *beit* und *fcheit* zusammenzieht, so auch das Franzœsische, und mit noch weiterer Ausdehnung der Analogie auch nach dem Ausfalle von *t c h p b v* und *m*: *vado vai*; *Radolf Raioul* 35, 7, 2; *Adalfrid Adefrois Aidefrois* 1. 2; *fpata fpede* Eulalia 22. *efpeie* 6, 3, 7; *pater mater frater*, ital. *padre madre*, Eide v. Strafsb. *fradre, peires meire freires*; *latro*, ital. *ladro, laires*; *pratellum praiel* 47, 5, 1; *latus leis*; *dilatare delaier delai* 10, 5, 6. 7. 6, 7; *filvaticus volaticus*, prov. *falvatges volatges, favaiges volaiges* 8, 4, 1. 6. *coratges damnatges homenatges, coraiges damaiges homaiges* udgl.; *factum fait*; *lacte lait, lactarium laituaires* 45, 5, 2; *macture maiteir* 24, 3, 8; *verax verais vrais*; *Cameracum Canbrai*; *directum dreit* Strafsb. Eid, *droit*; *frictus diftrictus, eftroit* 36, 1, 5. *deftroit* 27, 4, 6. 6, 8; *benedictus maledictus, beneois* 43, 2, 6. *malois maloite* 51, 1, 6. 52, 4, 1; *convictitia covoitixe* 2, 4, 1; *vermiculus vermoil*; *auca oie*; *nox noctis nuit*; *luctari luitier* 11, 5, 4; *disductus desduit* 11, 12, 3; *trahere traire*; *invehere envoier*; ahd. *wahta agait* 4, 2, 4; *male-aptus malaides* 24, 1, 7; *captivus chaitis* 25, 4, 7; *fapiam*, prov. *fapia fapcha, faiche*; *fapi-*

dus, ital. *ſavio*, *ſaiges*; *inrabiatus enraigies* 1, 13, 3; *gaber* hœhnen, *gaimenteir* 1, 1, 2*); ahd. *trefan troveir* præs. *truis*; *reinviviſcere renvoixier* 9, 2, 1; *ſum ſui* 1, 15, 6. 10, 3, 1.

Dagegen in *ou* aus lat. *ubi*, ital. *ove* ist an die Stelle des *v* sein Grenzvocal *u* getreten; von andern Fällen ähnlicher Art s. oben S. 122.

5⁰. HEBUNG UND SENKUNG DER VOCALE.

Es liegt im Geiste der modernen Sprachen, die alterthümliche Mannigfaltigkeit der Quantitæten und der Accente dahin zu vereinfachen und das Widerspiel beider in der Art auszugleichen, daſs solche Kürzen auf denen ein stärkerer Ton ruht verlängert, solche Längen die tonlos sind verkürzt, solche Kürzen endlich die nur schwächer betont sind tonlos werden. Also je nach Umständen, immer aber um des Gleichmaſses willen, wird bald der Ton dem Laute, bald der Laut dem Tone nachgebracht.

Am frühesten ward dieſs Verfahren auf das Lateinische angewandt: schon im Beginn des Mittelalters sprach man z. B. *bōnŏs*, die erste Sylbe mit verlängertem *o*, weil es da betont, die zweite mit verkürztem, weil es tonlos war. Und im Deutschen schwächte das zwölfte Jahrhundert die langen oder doch vollautigen Vocale der Schluſssylben, weil sie nur tiefbetont waren oder gar tonlos, in lauter kurze *e*: *hleipâ leibè*, *kuatér guotèr*, *ſiki ſige*, *haſo haſe*, *túbûn túbèn*; das vierzehnte sodann und das fünfzehnte beseitigten auch den Tiefton solcher Kürzen, so daſs nun erst diese *e* wahrhaft stumm wurden; auf der anderen Seite dehnten die Kürzen der Wurzelsylben, wie sie schon durch den hœheren Accent gehoben waren, sich nun auch in Längen aus: *hâſe ſîge tûgent*; diejenigen *i* und *u* aber, die

*) vgl. das mundartlich deutsche *hœhn machen*, *erhœhnen* ärgern; wie auch *lamenter* vom goth. *hlahan* lachen kommen mag.

schon früherhin lang gewesen, mufsten sich jezt in weiterem Fortschritt zu Diphthongen steigern: *fite feite*, *tûbe taube*.

Dergleichen Einwirkungen des Accents auf Quantitæt und Qualitæt der Laute sind besonders in den romanischen Sprachen, unter diesen wieder namentlich im Franzœsischen daheim. Schon in den Eiden von Strafsburg beginnt, obwohl nicht durchweg angewendet, der Gebrauch alte Kürzen vor einfacher Consonanz, sobald der Ton darauf fiel, aber auch nur dann, zu diphthongieren*): Längen traf solch eine Verändrung seltener, und vor mehrfacher Consonanz blieben auch die kurzen Vocale ungesteigert: sonst hätte sich eine Anhäufung von Lauten ergeben die allen Sprachgesetzen zuwider war. So aber, regelrecht so nur im Altfranzœsischen. Dem neueren ist es zu bunt geworden z. B. *aime* zu sagen, aber *amons*, nur dort des Accentes wegen das *a* diphthongisch zu heben, hier aber, wo der Accent weiter rückt, den alten Laut zu belafsen: es diphthongiert beidemal, *aimons* wie *aime*; während es anderswo auch am rechten Orte wieder nicht diphthongiert: afr. *trueve trovons*, nfr. *trouve trouvons*.**) Für die Flexion ist in solcher Art die alte Regel fast verloren gegangen: häufiger wirkt sie noch innerhalb der

---

*) Die Accente des Altfranzœsischen bestimmen sich, da die lebende Sprache theils abweichend, theils eigentlich gar nicht betont, auf mancherlei anderen Wegen, aus dem Versbau, aus dem Lateinischen, aus den übrigen romanischen Idiomen, aus den Tonzeichen welche die Handschrift des provenzalischen Boethius setzt, und wenn man auch das mag gelten lassen, aus der in Deutschland fortgepflanzten Aussprache der Zeit Ludwigs XIV.

**) Ebenso, aber doch seltener, gerathen auch bei den zwei ital. Hebungen *e* in *ie* und *o* in *uo* die neuere Sprache und Grammatik in Verwirrung und sprechen und verlangen z. B. *leva* statt *lieva*, *buonissimo* statt *bonissimo*. Salviati Avvertimenti 1, 271. 272 sah hierin noch richtiger.

Wortbildung, wo der Wechsel der Laute weniger auffallendes hat, zumeist aber nur wenn *ou* **und** *eu* **im Spiele sind:** *feu fouée, jeu jouer, lieu louer, preuve prouver, neuf nouveau, boeuf bouvier, deuil douloir, oeuvre ouvrage, coeur courage* u. a. Was aber die Abirrung des Neufranzœsischen am stärksten zeigt, ist das *eu* männlicher und weiblicher Verbalsubstantiva auf *eur*, dem doch im Lateinischen ein langes *o* zum Grunde liegt: *chaleur douleur erreur fleur langueur faveur, créateur pafteur*; und mit ihnen anderer Worte theils des gleichen, theils verschiedenen Auslautes, wie namentlich der Adjectiva auf *eux*: *leur meilleur mineur feigneur heure**) *pleurer, peu preux feul jeune, amoureux douloureux envieux joyeux oiseux favoureux* u. a. Im Altfr. haben all diese, wie sich gebührt, nur ein *ô* oder *ou*: *chalors dolors errors flors langors favors***), *creator paftor, lor (illorum) millor menor fignor oure ploreir****), *pouc* oder *pou* (*paucus* ital. *poco*) *prous* (*providus*) *fouls jones* (ital. *giovane*), *amerous deleros envious joious* (*gaudiofus*) *oxous* (*otiofus*) *faverous*.†) Den Anlafs jener unrichtigen *eu* glaube ich theilweis in dem vollkommen richtigen solcher Worte wie *peur pécheur faveur* zu finden, die durch Hiatustilgung aus *peor pefcheor fauveor* (*pavor pifcator falvator*) hervorge-

*) Daneben das adv. *or* wie im Altfr.

**) und auch nfr. *amour*. Vgl. noch die neuen und kühnen Bildungen *olere olors* 39, 1, 2; *bald baus baudors* 47, 1' 6. 12. *φαῦλος*? *fols folours* 2, 4, 5. *froidors* 33, 1, 1. *triftors* 30, 4, 5, *verdours* 2, 8, 4. 47, 5, 3; *herba erbours* 2, 10, 5. *tenebræ tenebrours* 21, 1, 2. *Bravoure* mischt zweierlei Bildungsweisen, die mit *or* und die mit *ura*: ital. span. *bravura*.

***) Irriger Weise wird auch *demorari* als langvocalig verstanden und *demore demoure* undiphthongiert mit *oure ploure* gebunden 16, 5, 4. 21, 1, 10 fgg. Anderswo richtiger; noch Montaigne *demeure*, aber *demourer*.

†) und auch nfr. *jaloux*, lat. *zelofus*, ital. *gelofo*.

gangen sind, und ebenso *volentius* aus *volenteos* d. h. *voluntatofus*; vgl. oben S. 130.

Regelrecht sind die diphthongierenden Lauthebungen nur im Altfranzœsischen. Aber nicht alle Handschriften sind in Darstellung derselben correct und consequent. Die unsrige ist es in hohem Grade: ihr Schreiber gehœrte noch der classischen Zeit selber an, und die Mundart seiner Provinz scheint ihn wenigstens hierin nicht sonderlich beirrt zu haben.

Die vorkommenden Lauthebungen sind nun folgende.

Kurz *a* in *ai*: lat. *fua*, *fai* 18, 3, 3 (sonst freilich *fa* u. dgl.); *jam*, ital. *già*, *jai*; ahd. *Adalfrid Aidefrois* 1; *Jacobus Jaikes* 42 fgg.; *amare*, *ameir amis amor*, *amoient—aimme* 22, 5, 4. *amoie et*, *ain* 22, 6, 1; *manus mains*; *manere manoir*, *maent* Eul. 6. *maint* 14, 5, 3. *remaint* 2, 12, 3 u. a.; *fapere favoir*, *fai feivent* 22, 2, 1 u. a. für *faivent*; *fatur fat*, *fait* 1, 2, 1 u. a. Mit unrichtiger Übertragung auf tonlose Sylben *ebaihis* 25, 5, 1. 51, 3, 1; *chaipel* 47, 2, 6; *efchaipeir* 36, 3, 6. 50, 5, 4; *paipelairde* 36, 4, 4; *efchaiquiers* 13, 5, 6. 41, 3, 7; *baitel* 47, 5, 10; *laitin* 40, 5, 1; auf langes *a* *illac ecce-hac*, *lai fai* 11, 9, 6 fgg.; *miraicle* 37, 5, 2; *prelait* 20, 3, 7; *clameir* 21, 1, 7. *clamor* 2, 3, 5. *claime* 7, 1, 1. *clain* 22, 7, 2. Denn sonst steigert sich

Langes *a* in *ei*: *labrum leivre* 15, 4, 4; *clavis cleif* 31, 1, 5. 36, 3, 3; *fuavis foeif* 28, 5, 8; *amarus ameir* 33, 5, 9; *clarus cleir* 1, 12, 2; Infinitive auf *are eir*, *memorare menbreir* 1, 2, 5. *ftare efteir* 49, 7, 1; Participien auf *atus eit eis*, *adfaporatus afavoreit* 1, 1, 6. *tornatus torneis* 1, 8, 4 und ebenso *gratus greit*; Substantiva auf *tas teit teis*, *veritas veriteis* 1, 15, 5. *æftas efteit* 18, 2, 1; mit Apocope und Syncope des *t* *deitei unitei* 39, 1, 3. 4. *pratum ftatum*, *prei eftei* 12, 1, 1. 3; *atis eis*, *fapiatis faveis* 1, 15, 4. Alterthümlicher als *ei* scheint *é*: *cavallicatum chevachiet* 1, 9, 1.

deliberatus delivre 39, 3, 3. *legalitas loiaulte* 1, 10, 4; schon in der Eulalia *presentede* 11. *virginitet* 17. *honestet* 18.*)

Kurzes *e* in *ie*: *brevis brief* 1, 6, 3. *briement* 46, 7, 3; *rem rien*; *meum mien*; *tremere cremir* 44, 1, 6. *cremus* 21, 8, 4. *crien* 8, 2, 5. 32, 1, 9 u. a.; *bene bien*; *tenere tenir, tieng*; *venire venir venant, vien vienent*; *eram erat erant, iere* 6, 3, 3. 5. *iert* 1, 4, 2. *ierent* 40, 4, 5 u. a.; *ferus fiers*; *afferre affert, afiert* 41, 3, 6; *querere* (aus *quærere* und *queri*) *querre querant* 35, 5, 5. *quier conquiert*; *es ies* 45, 3, 1. 2; *pes piet*; *sedet siet* 1, 1, 1; *levare leveir relevait* 1, 16, 4. *lieve* 1, 1, 4. *lievent* 2, 12, 1; *gravis gravare, greveir grevance* 27, 5, 8. 32, 2, 6. *gries* 25, 1, 1 u. a.; *febris fievre* 5, 6, 6.

Langes *e* ursprünglich in *ei*: *concreidre* Eul. 21; dann aber in *oi* oder *oe*, so dafs zwischen solchen Worten und jenen mit *ei* = *á* nunmehr ein Unterschied bestand **): *me te se, moi toi soi*; *credere crecis* 30, 4, 6. *croire croi* 30, 4, 8; *pœna pena penare, peneis* 21, 5, 5. *poene* 20, 4, 6 u. a. *poent* 37, 5, 6; Infinitive auf *ere oir, habere avoir, volere* (nach *volui*) *voloir*; *hæres heres heritaticum, heritaige* 23, 6, 1. *hoirs* 21, 2, 5; *verus voirs veriteis* 1, 15, 5. *verteis* 24, 1, 6; *serum soirs*; *spero sperantia, esperance espoir* 5, 4, 5. 29, 4, 1. *espoirs* 13, 2, 2. 14, 2, 1 ***); *tres trois*; noch andre Beispiele oben S. 134.

Kurzes *i* in *oi*, ursprünglich gleichfalls *ei*: *meus mea*, ital. *mio mia*, *mis* (einsylbig, proclitisch, undiphthongiert) *moie*; *via voie*; *quid coi*; *sim sit, soie soit*; *videre videt, veoir*

---

*) *amisties* 1, 4, 2. *malvesties* 37, 1, 7. 38, 1, 7. *pitïes* 1, 4, 3 u. a. neben *amisteis* 1, 15, 3 und *piteis* 30, 5, 8 haben ihr abweichendes *ie* durch Umstellung aus *amicites malvesites pietes*.

**) den aber die Conjugation von der andern Seite her dadurch wieder aufhob, dass sie die Endung *eve* = *abam* auch in *oie* diphthongierte: *cantabam chanteve chantoie* wie *tenebam tenoie*.

***) die 1 sg. pr. substantivisch gebraucht, wie *son voil* 28, 2, 8. *mon veul* 10, 5, 5. im Strassb. Eide *meon vol* d. h. *meum volo*.

27, 3, 8. *veïr* 38, 2, 6. 44, 2, 6. *voi* u. s. f.; *renegare renier, reneiet* Eul. 6. *renoie* 20, 1, 10 (*renie* 41, 4, 3); *ultrigare otrier, otroi* 10, 1, 3. *otroie* 14, 5, 5 (*otrie* 48, 5, 3); *consiliari consilium consillier* 1, 1, 3. *consoille* 28, 2, 3. *consoil* 1, 3, 1. 28, 2, 4; *mirabilia mirabiliare, mervillier* 25, 2, 1. *mervillous* 39, 2, 1. *mervoil* 17, 1, 1. 38, 3, 7. *mervoille* 25, 1, 7 (*mervelle* 22, 4, 1); *minare meneir, moinnet* 45, 6, 6. *amoine* 16, 2, 1; *minor menor, moins*; goth. *visan*, ahd. *wesan*? *voix* 23, 2, 1. *voist* 21, 4, 7. *voixent* 4, 5, 2 *); *nix nois* 18, 2, 4; *bibere beüt boivre* 33, 5, 9; *percipere percevoir persoive* 24, 4, 2.

Endlich kurzes *o* oder *u* oder *ou* **) in *ue* oder *oe*: *posse potere* (nach *potui*) *pooir pues* 43, 2, 1. *puet* 2, 6, 5 u. a. *pueent* 38, 4, 4 (unrichtig *pou* 38, 3, 5. *pout* 1, 7, 1. 12, 3, 7. 26, 3, 3); *ego*, Strafsb. Eide *io*, *ieu* ***); *illuc illuc ipsum, illuec iluec* 36, 3, 5. 40, 3, 7. *illuekes* 1, 11, 3; *bos buef*; *dolere dolor dolus, doloir dolors duels*; *folium fuels*; *despolio depuel* 11, 1, 1; *solere soloir soloit* 37, 4, 3. *suel suet* 11, 2, 4. 37, 4, 2; *comes comitissa, cuens* 1, 6, 4. *coens* 1, 8, 1. *contesse* 5, 1, 3; *populus pueples*; *cor cuers coraiges*; *soror*, ital. *suòra*, *suer* 22, 7, 1; *mori morire mors, morir mors muert* 2, 11, 5; *opera oevre*; *movere movoir muet*; goth. *drupan*? (ahd. *trefan*, wie *trudan tretan*) *trovoir, trueve* 1, 9, 3; ahd. *stuen stowan*? *estovoir estuet*. Die Anordnung *ue* gilt ebenso im Provenzalischen und im
[illegible]

---

*) vgl. im Lateinischen (Forcellini) *esse* s. v. a. *ire venire* und span. *fui* præt. zu *ir*.

**) Denn wo *ou* einem lat. o entspricht, wird damit schwerlich ein Doppellaut bezeichnet, sondern nur der Mittellaut zwischen o und ü, der ebensowohl kurz sein kann; das Aeolische und Altlateinische hatte in seinem *ov* ganz denselben Schriftbehelf.

***) Betonung des zweiten, nicht des ersten Vocals wird durch die consonantische Form *je* bewiesen.

Spanischen *); zugleich wird sie durch das vollere *uo* der Italiæner und selbst noch des Leiches auf S. Eulalia (*buona* 1. *roveret* und *ruovet* d. i. *rogaverat rogat* 22. 24) bestætigt. Wie jedoch eben hier auch *fou* und *fouve* zu lesen ist (*focus fuia* 19. 19), und wie im Nfr. überall *eu* gesetzt und gesprochen wird, so zuweilen auch in unserer Handschrift schon: *oculus oclus*, ital. *occhio*, *culs* pl. *eul* 11, 1. 3 u. a.**); *focus feus*; *abhuc aveuc*; *jocus jocare*, *jueir* 15, 5, 1. *jeus*; *locus leus*; *fum feux*; *possum peux* 49, 7, 3; *volere* (für *velle*), *volo vult volunt*, *voloir veul veulz veult veulent*. Ist hier nun wirklich auch ein andrer Laut gesprochen worden, oder weicht auf Anlafs der eignen Beschaffenheit dieser Worte blofs die Schreibung ab? Eher das letztere, da 25, 4 *esfuel eul veul duel* sich im Reime folgen.

Es werden mithin alle kurzen Vocale, von den langen jedoch nur *á* und *é* gesteigert. Ein bestimmtes Verhältniss der diphthongierenden Laute zu den diphthongierten geht nicht durch: bei *a á o ou* ist es der hellere, bei *i* der rundere, bei *e* und *é* ein verwandter, nur schärferer Laut welcher hinzutritt; dem *e* und *i* wird er vor, den übrigen nachgeschlagen; dabei gehn *á* und *o* selbst noch eine Veränderung ein, jenes in *e*, dieses in *u*; endlich rundet sich *ei* = *é* in *oi*, und *ei* = *á* kann sich in ein einfach langes *é* verflachen. Immer aber, scheints, ist in der Aussprache der vordere Laut mehr hervorgehoben worden; auch bei *ie*: *fíer*, nicht wie jezo *fiér*; sonst würde wohl, was doch niemals geschieht, einfaches *e* auf *ie* reimen: *ie* wird immer nur mit weiteren *ie* gebunden; auch

---

*) Letzteres muss jedoch auf diesen Diphthongen erst ziemlich spät gekommen sein: im alten Cid assonieren *fol campeador luen fuent*: hier also noch *lon font* u. s. f. gesprochen und zu schreiben.

**) mit triphthongischem Anlaut (vgl. *aqua iawe eau*) *ieul* 6, 3, 8. 10, 4, 7 u. a.

sprachen die altd. Dichter *fier* wie *tier*, *piet* wie *schiet*: Parz. 386, 12.

Gegenüber dieser Lauthebung durch den Accent liegt die Senkung der Laute d. h. der Gebrauch Sylben die nicht betont sind nun auch unter den eigentlich ihnen zustehenden Vocallaut hinabzusetzen, den ursprünglichen Vocal, weil kein Accent ihn sichert, aufzugeben und gegen einen schwächeren, minder vollen, sogar wohl stummen zu vertauschen. Dergleichen kennt bereits das Lateinische; es folgt dabei einer selten verletzten Regel. Sobald durch Flexion oder Zusammensetzung ein *a ae e* vom Anfang in die Mitte oder an den Schlufs des Wortes gerückt d. h. seines Accentes beraubt wird (denn nach echt und altlateinischer Weise fällt auf den Anfang der einzige oder doch der stärkste Ton), so schwächen vor einfacher Consonanz in der Mitte *a* und *e* sich in *i*, *ae* in *i*, am Schlufs und vor zwiefacher (unterm Tiefton) *a* in *e*, und nur *e* bleibt dann unverändert: also *cano tubicen tubicinis*, *parco peperci*, *sedeo circumsideo circumsessum*, *æquus iniquus*. Vom Herabsinken und Verstummen tief oder unbetonter Schlufssylben im Deutschen ist bereits oben auf S. 136 die Rede gewesen.

Den Hauptfall franzœsischer Lautsenkung machen die stummen *e* am Schlufs der Worte, die zwar den Eiden von Strafsburg noch fremd sind, aber schon im Leiche von der heil. Eulalia, drei Jahrhunderte vor der gleichen Schwächung des Deutschen, mit fast nur zufälligen Ausnahmen als Regel erscheinen.

Innerhalb der Worte kommt sie gleichfalls vor, doch seltner und ohne strenge Beständigkeit; auch hier ist es zumeist das farblose *e* das an die Stelle des eigentlichen Lautes tritt: lat. *caballus caballarius*, fr. *chevals cheveliers*; *manata menaie* 7, 1, 8. 2, 1; *vassus-vassorum vavesor* 2, 2, 5; *bastare bestans* 31, 2, 3; *-ator -eor* S. 130; *gravare greveir*; *assimilare essambleir* 1, 12, 3; *malvaix malvesties* 37, 1, 7.

38, 1, 7; *aufcultare efkoltet* Eul. 5. *efcouteir; finire definire, fenir defenir* 8, 6, 10. 46, 7, 3; *fignificare fenefieir* 42, 3, 3; *premiers premerains* 16, 1, 1; *amorofus dolorofus faporofus, amerous* 4, 3, 5 u. a. *deleros* 13, 5, 1 u. a. *faverous* 23, 4, 3 u. a.; *courrous* (wie ital. *corruccio* von *cholera* hergeleitet) *correcier* 1, 13, 2. *correfous* 14, 1, 6. 4, 7; *Pictavus Poitous poitevins* 19; *nulli-huic nelui* 11, 11, 1; *voluntas volenteis* 29, 4, 5 u. a.; dazu noch, zwischen *lo lou* und *le* schwankend, das proclitisch gewordene *illum*: *lou fecors* 21; 8, 10. *le fecors* 21, 1, 10. Næchst dem *e* zeigt sich in solcher Weise namentlich noch *o* verwendet, auch diefs ein dumpfer, mehr unten liegender Laut: *villanus vilains vilanie, velonnie* 9, 1, 4 u. a.; *minare meneir, moneir* 14, 1, 4 u. a.; *debere devoir devrai, dovrai, dovroie* 1, 2, 5. 7, 5, 10; *juftitiare jufticier* 2, 3, 1. *joftifier* 2, 7, 1; *domicella damoifelle, damofelle* 45, 18, 1.

Besonders hervorzuheben sind hier die Futura. In diesen wird durch den Hochton des Hilfszeitwortes nicht blofs die Endung des vorangehenden Infinitivs tonlos und verkürzt: *iffir ifferai* (statt *ifterai*) 34, 1, 5; *avoir-ai averai* S. 122; sondern auch und noch häufiger treten als weitere Folge Syncopierungen jener Endung, ja verschleifende Abkürzungen des Stammes selber ein: *iftrai* 51, 3, 3; *aurai; favoir faurai; devoir devrai; pooir porai* 1, 2, 1 u. a.; *endurcir endurrai* 28, 5, 8; *morir morrai morai* 34, 1, 6. 46, 8, 4 u. a.; *fecorir fecorrai* 23, 6, 2; *venir vanrai* 20, 2, 5 u. a.; *paroir perrai* 23, 6, 2; *faire ferai; recroire recrorai* 30, 2, 7; *veoir vairai* 27, 2, 4; *falloir faurai* 21, 6, 7. *faudrai* 20, 1, 11 u. a.; *voloir voldrai* 14, 3, 4. 50, 5, 9. *vorai* 5, 2, 7. 17, 3, 7. 31, 4, 6; *laiffier lairai* 1, 2, 3.

6°. ANGLEICHUNG DER VOCALE.

Angleichung der Vocale (ich bilde diefs Wort nach dem lat. *Assimilation* und dem althochd. *anagalth*) d. h.

eine Veränderung derselben welche bedingt ist durch die Beschaffenheit der benachbarten Laute und sie mit diesen mehr übereinstimmend, diesen ähnlicher und gleichartiger macht. Solche Vocalveränderungen liegen noch um vieles weiter und tiefer greifend als die bisher erörterten in dem Character des Sprachstammes der Europa und Asien verbindet.

Also Angleichung an einen benachbarten Laut. Dieser kann unmittelbar vor oder hinter dem Vocal oder erst in der næchstfolgenden Sylbe liegen. Der unmittelbar anstofsende mufs, wenn eine Angleichung geschehen soll, ein halbvocalischer Consonant, der im næchsten Wortglied folgende ein ganzer Vocal sein. Auf allen drei Wegen kommt die Angleichung schon im Lateinischen, auf allen dreien in den germanischen; auf allen auch in den romanischen Sprachen, namentlich aber in der franzœsischen des Mittelalters vor.

A. ANGLEICHUNG AN DEN VORHERGEHENDEN HALBCONSONANTEN.

Eine solche ist es wenn z. B. lat. *ve*, ahd. *we wa* in *vo wo*, nhd. *wi* in *wü* sich verwandelt (*vertere vortere*, *weralt worolt*, *gisuaran gisuoran*, *wirde Würde*): denn *w* ist consonantisches *u*, *o* und *ü* aber sind die Ausgleichung von *u* und *e*, von *u* und *a*, von *u* und *i*; das Ags. vertauscht gar mit geradem Übergange *vi* gegen *vu*: *vidu vudu*. Und wie noch um einen Schritt weiter deutsches *que qua* in *ko* übergeht (*queman komen*, *quam kom*) d. h. auf Anlafs des vorlautenden Consonanten der Halbvocal selbst verschwindet, aber als Spur den Mittellaut *o* für *e* und *a* zurücklæfst: so nun auch lat. *quam qua-mente quare* in fr. *com comme* 24, 5, 4. *coment cor* 18, 3, 7 u. a.*): die Umkehr der auf S. 131 erwähnten Ausgleichung von *a-u* in *o*.

*) daneben *car* wie im Deutschen *kam* neben *kom*.

Eigentliche Angleichung der Vocale übt das Altfr. nur hinter den Liquiden *l* und *r* und namentlich hinter den zischenden Consonanten: da wird ein nachfolgendes betontes *e* diphthongiert mit dem *i* das in all jenen Consonanten enthalten (vgl. oben S. 131 fgg.) und das zugleich dem *e* selber auf das næchste verwandt ist: *lætus lies* (aber noch *leus*, nicht *lieu*); *iratus iries* 1, 4, 1 u. a.; *desiderare desirier desirrier* 13, 5, 3. 25, 4, 2 (*desirree* 35, 3, 3); *expensus espriens* 11, 4, 6; *cælum ciel* schon Eul. 6. 25; *seculum siecles*; *adbassare abaissier* 1, 11, 3; *laxare lassier* Eul. 24. *laissier*; *caput chief* Eul. 22. *chies*, *meschies* 1, 13, 4; *capra chievre*; *carus chiers*; *caballicare chevachier*; *peccatum pechies*; *propianus prochiens* 31, 5, 4; goth. *têkan taitôk*, ital. *toccare*, *touchier*; *caricare chairgier*; *clericatus clergies*; *commeatus*, ital. *comiato*, *congies*; *judicare jugier*; *inrabiatus enraigies*; *cambiare chaingier*; *vindicare vangier*.*) Aus solchen Infinitiven ist die deutsche Verbalsylbe *ier* hervorgegangen: *laissier*, mhd. *leisieren leischieren* udgl. Das Neufranzœsische aber hat nicht bloss diese Angleichungen wieder aufgegeben, sondern weiter schreitend auch aus der Endung vieler Worte ein *i* beseitigt, denen doch von Stammes wegen ein solches gebührt: *cominitiare comencier commencer*, *fidantiare fiancier fiancer*, *lanceare lancier lancer*, *basiare baissier baiser*, *inbrachiare enbraissier embrasser*, *cruciare croixier croiser*, *pretiare prixier priser*.

B. ANGLEICHUNG AN DEN NACHFOLGENDEN HALBCONSONANTEN.

In den hochdeutschen Mundarten wieder meist ein vermittelnder Mischlaut, seltener ein Diphthong; *j* und *sch* enthalten auch hier ein *i*, *w* und die Liquida *l* ein *u*: ahd. *wdjan* mhd. *wæjen*; mhd. *asche esche*, *waschen weschen*;

*) *aidier cuidier* aus *adjutare cogitare* gleichen die Schlusssylbe dem Vocal, nicht dem Consonanten der Wurzel an.

abd. *niwi niuwi*, *frowa frouwa*; *fal fol*, *Liutpald Liupolt*. Im Gothischen aber, im Angelsächsischen und im Altnordischen mannigfache Diphthongierungen: in den beiden letzteren vor *h* und den Liquiden *l* und *r* theils des *a* mit *e*, d. h. *i*: *hals* ags. *heals*, *ftarc ftearc*, *maht meaht*; theils des *e* mit *a*: *geld* altn. *giald*, *bergan biarga*; theils wiederum des *e* mit *o*, d. h. *u*: *bergan* ags. *beorgan*, *fehtan feohtan* altfries. *fiuchta**); im Gothischen des *i* und des *u* vor *h* und *r* und blofs mit *a*: ahd. *fihu*, goth. *faihu*, *wirs vairs*, *fuht fauhts*, *turd dauró*; wie denn *a* als der Vocal dieser Consonanten schon durch die Namen beider bezeichnet **) und für *h* insbesondere durch dessen mehrmaligen Übergang in romanisches *ha* oder *a* bewiesen wird***): ahd. *hnaph*, fr. *hanap*, ital. *anappo*; *hring*, fr. *harangue*, ital. *aringo*, span. *arenga*.†)

Eben dergleichen Diphthongierung nun auch im Franzœsischen, nur dafs sie nicht wie im Deutschen auf betonte Sylben eingeschränkt ist (die goth. *uh* und *nih* bleiben als enclitische und proclitische Wörter unverändert), sondern auch Statt finden darf in unbetonten. Dieser Umstand so wie das häufige Vorkommen der Angleichung

---

*) daneben im Altn. mit blosser Verlängerung des *a i o u* vor *l* und *n* *hâls thing fôlk tûnga* udgl.; womit sich im Romanischen die Verlängerung durch den Ausfall eben dieser Consonanten zusammenstellt: s. oben S. 132. 134.

**) lat. *ha*, fr. *ache*, ital. *acca* (d. h. *aka*) und engl. *arr*; ähnlich werden *c k q* mit Hilfe der Vocale benannt, die hinter ihnen zu stehn pflegen.

***) Wie *j* zu *i*, *w* zu *u*, ist *h* der Consonant zu dem dritten Hauptvocal *a*; das hebr. Aleph bezeichnet *a* und *h*, wie Jod und Waw beides *i* und *j*, *u* und *w* bezeichnen.

†) In Ableitungen zeigt das Gothische alle fünf Laute *h l m n* und *r* von einem verborgenen *a* begleitet: goth. *alhs* ahd. alts. *alah*, *fugls fokal*, *arms aram*, *ibns epan*, *vôkrs wuahhar*; andre Vocale bleiben nicht ungeschrieben.

auch vor mehrfacher Consonanz *) begründet bei sonst mannigfacher Übereinstimmung zugleich einen wesentlichen Unterschied derselben von der Lauthebung, die nur betonte Vocale vor einfachen Consonanten trifft. Die bezüglichen Consonanten sind aber folgende: *ſ x ch*, *l r* und nasales *n*; in den Zischlauten und ebenso hier in *r* liegt ein *i*, in *l* bald ein *i*, bald ein *u*, im nasalen *n* bald gleichfalls ein *i*, bald auch ein *a* verborgen, so dafs theils mit *i*, theils mit *u*, theils endlich mit *a* diphthongiert wird: vgl. oben S. 131—134.

Angleichung an einen Zischlaut: lat. *ad-ſatis aſſatis, aiſſeis; baſiare baiſſier; baſſus bas* 1, 2, 1. *abaiſſier* 1, 11, 3. 46, 3, 4; *brachium bracium, brais* 6, 3, 2. *enbraiſſier; caſtigare chaiſtier* 36, 5. 11. subst. *chaiſti* 36, 4, 5. *chaiſtiemens* 9, 1, 7; *caſtellum chaiſtels* 3, 3, 3. 21, 7, 4; *waſtellum gaiſtels* 47, 5, 4; *factio faiſſon; craſſus* fem. *graiſſe* 2, 9, 2; *laxare lazſier* Eul. 24. *laiſt* Eul. 28. *laiſſier*; ahd. *laz*, mlat. *laſſus*; *lais laiſſe* 1, 2, 1. 15, 3, 5 u. a. *helais elais* 1, 14, 4. 18, 5, 1 u. a.; *laſſare laiſſier laiſſeis* 18, 5, 7; *paſſus paſſare paſſaticum* ; *pais paiſſier* 35, 6, 1. *paiſaiges* 8, 3, 6; *vaſſallus vaiſſauls* 49, 5, 6; *captitare? chaicier*; ahd. *tretjan traicier* 17, 5, 4; *vaſcellum vaixiaulz* 21, 7, 6; *placere tacere, plaixir taixir*; goth. *ſatjan ſaixir; ratio raixon; accaptare aicheteir raicheteir* 42, 1, 6; *baccalarius baicheleirs* 22, 5, 2; ahd. *hakjan*, subst. *haichie* 42, 3, 5; *broccus broccare broichier* 47, 3, 1; *pretiare preixe* 40, 2, 3. *proixier* 44, 3, 5. *esprixier* 20, 4, 9; altn. *buſkr bois; domnicella domnizelle* Eul. 23. *damoiſelle; luſciniola roiſignors; potio poiſon; potentia poſſentia poiſſance* 26, 1, 2 u. a. (undiph-

*) Das Altn. und Ags. diphthongiert sogar nur vor einer solchen: es muss dem *l*, dem *r* noch ein zweites oder ein andrer Consonant folgen, oder doch wie in *al* ags. *eal* pl. *ealle*, *ſearo* gen. *ſearves* ursprünglich gefolgt sein.

thongiert *pouſſance pouxance* 27, 4, 3. 44, 1, 8); *anguſtia angoiſſe* 23, 3, 6. 50, 3, 1; *licere licet, loixir* 46, 6, 7. *loiſt* 1, 2, 4; *ante ipſum*, ital. *anzi eſſo*, *anſois ainçois* 1, 15, 4. 6, 2, 5; goth. *kausjan choiſir; avicellus aucellus oixels; uxor oixour* 2, 12, 4; *conſanguineus coixins* 34, 2, 8; *cognoſco cognoix* 6, 1, 2. *cognoiſſent* 21, 8, 1; *vox voix; poſſum pois* Straſsb. Eid, *puis; poſt puis* 1, 16, 4. *pues* 1, 4, 5 u. a.

Angleichung an *r*: *ars airs* 50, 5, 11; *argentum airgens* 20, 2, 4. 22, 3, 3; *anima*, ital. *alma, arme* 30, 2, 8. *airme* 18, 3, 6; *arma airme* 22, 5, 5; *caro chairs; caricare chairgier;* ahd. *warén gaireir* 38, 4, 3; *wartén gardeir* 7, 6, 10. *gairdeir* 7, 6, 5 fgg. 36. *gairde esgairt resgairt; warnjan garnir gairnemens* 20, 2, 5; *Gerhart Leonhard, Girairs* 2. *Liennairs* 52, 2, 3. *caudardus*, ital. *codardo, cowairs* 25, 4, 7. *coairs* 36, 4, 5. *muſairde* 36, 5, 5. *paipelairs* 36, 4, 4; *harra haire* 7, 5, 7; *Navarra Navaire* 26, 1' 1; *parere paireir* 28, 3, 2 (*parrait* 21, 6, 6). *compaireir* 15, 5, 3. *repairier* 46, 1, 1; *parens pairens* 34, 2, 8; *parabolare pairleir; pars de-parte depair* 50, 4, 1. *pairtir;* ahd. *ſparén eſpairgnier* 38, 4, 6; *attardare atairdeir* 36, 2, 4; *tarta tairte* 47, 5, 5; *virgo virge vierge* 45, 17, 3; *oratio oirexon* 45, 12, 3. Diphthongierungen von *a* in *ei* bilden den Übergang zu der bloſsen Lautausgleichung in *e*: *mare meirs; par peirs* 9, 2, 6. 12, 2, 3 (*peir* für *pais*). 46, 9, 8 und *Armenium Ermins* 40, 5, 3; *baro bers* 50, 5, 1; *carus chiers cherir; herdemens* 24, 4, 3; *harpa herpe* 50, 5, 8; *perleir* 17, 3, 4; *pertir* 30, 1, 8. 34, 1, 10. Und solche Formen haben den Anlaſs gegeben das schon ursprünglich so vocalisierte *per* in *par, perdons* (20, 3, 3. 46, 4, 3) in *pardons* (17, 4, 5. 43, 2, 3) gleichsam zurück zu verwandeln.

Angleichung an *l*.[1] Mit *i*: *fallere faillir; pallere paillir* 15, 4, 10; *qualis keilz; talis teilz; hoſpitale hoſteils* 38, 2, 3; *mortalis morteils* 26, 1, 7; *crudelis crueil* 17, 4, 4; *colligere coillir* 51, 1, 2. *cuillir* 2, 8, 5; *voil* 28, 2, 8 im Reime für *veul.* Mit *u*: *æqualis igaulment* 14, 3, 2; *hospitale, enseignal: ostaul* 38, 4, 3 *); *legalis legalitas*, *mal: loiaul* 1, 1, 7. *loiaulment* 1, 14, 2 (*loialment* 1, 12, 4). *loiaulteis* 1, 10, 4 u. a. (*loialteis* 23, 5, 5); *regalis*, *mal: roiaul* 38, 1, 3; *vassallus vaissauls* 49, 5, 6; *fallo faul* 8, 5, 7. *falsus fauls* 15, 5, 7. 22, 6, 4; *salvet sault* 22, 7, 2; *valet vault* 7, 3, 9 (*valt* 24, 1, 2 u. a.); *altus hault* 29, 6, 5 u. a. (*halt* 26, 4, 7); *melius muelz*; ahd. adv. *urgilo orguels* **). Eigenthümlich ist die Vertauschung von *ell*, sobald demselben kein Vocal nachfolgt, gegen ein triphthongisches *eaul* oder *iaul*; grade als wenn nur das eine *l* ein *u*, das andre aber wie dort im Goth. und Altn. ein *a* enthielte ***); oder ist vielleicht anfangs nach ganz nordischer Weise nur in *ial* diphthongiert, und dieses erst in *iaul* triphthongiert worden? †) Solcher Art sind *agnellus aignialz* 48, 1; 7. 49, 1, 3; *ecce-illos*, *cealz et ceaulz* 22, 6, 2 u. a. fem. *celle*; *vetulus vials* 11, 12, 4. fem. *vielle*; *bellus biauls* fem. *belle* 21, 7, 8 u. a. *biaulteis* 13, 4, 2; *vascellum vaixiaulz* 21, 7, 6. Dazu noch ohne *l* mit blossem *iau* oder *eau*: *illos eaus* 1, 12, 4 u. a.; *ad-velle aviaus* 21, 7, 2; *biaus* 11, 12, 3. 35, 1, 1; *castellum chaistiaus* 21, 7, 4; *viaus* 11, 12, 7 und mit Beseitigung auch des *u*: *biateit* 24, 2, 3 wie bei mhd. Dichtern *beds* und *bed*; *mel mias* 11, 12, 1; *novellus novias* 11, 12, 2: vgl. oben S. 132. Streng durchgeführt zeigt sich diese Angleichung von *e* und doppeltem *l* freilich nicht, so wenig als jene von *a* und *l*, und es werden z. B. in Nr. 47 all die vielen derartigen Reimworte mit unverän-

*) Die Schrift læsst also frei beide Worte mit *aul* oder beide nur mit *al* zu sprechen.

**) Das ital. *orgoglio* giebt statt des Diphthongen nur den ausgleichenden Mittellaut *o*; vgl. *polle* aus *puella* Eul. 10.

***) vgl. *ille al* 49, 5, 2; *melius mials* 11, 12, 9.

†) Helm altn. *hialmr*, afr. *healme heaulme heaume*.

dertem *el* geschrieben, kein einziges mit *iaul*. Das Neufranzœsische gleicht von den Worten auf *al* nur den Plural an, von denen auf *ell* auch schon den Singularis: aber die Ursache dieser Wirkung, die liquida *l*, fällt beidemal regelmæfsig fort: *égal égaux*, *beau beaux*; und wo bei letzteren *l* bestehn bleibt, vor nachfolgendem Vocalanlaut, bleibt auch *e* bestehen: *bel esprit*.

Angleichung an nasales *n*. Mit *a*: *enmeneir* præs. *enmain* 1, 9, 5; *incincta anfainte* 1, 1, 2; *fingere faindre* 7, 3, 2. 28, 1, 3. 4. *finctitia faintixe* 2, 6, 1; *exstinguere estaindre* 6, 1, 10. 28, 1, 7; *distringere destraindre* 1, 15, 6. 28, 1, 5. 6; *attingere ataindre* 16, 3, 1. 28, 1, 8; *vincere veintre* Eul. 3; *voincre* 5, 5, 4. Mit *i*: *certus certanus certains*; *superanus soverains* 22, 7, 1; *villanus vilains*; *christianus christian* Eid v. Strafsb. *Crestieins* 9. 10; *extraneus estrainges* 25, 2, 2; *ante antius ains*; *ante-ipsum ainçois* 6, 2, 5; *hanc-horam eincore* 34, 3, 5. *eincor* 3, 5, 2. 22, 2, 6; deutsch *gram*, *grains* 2, 3, 3; *granum grains* 22, 5, 4; *mane main* 48, 4, 5. *demain*; *planus plains* 22, 5, 5; *sanus sains*; *vanus vains*; *plangere plaindre*; *cambiare chaingier*; *manducare maingier*; goth. ahd. *manag mains*; *sanctus sains*; *plenus plains* 1, 9, 2. 3, 3, 3; *bonus boins boens*; *comptitia coentixe* 2, 9, 1; *adcomitantia acointance* 1, 3, 2; *domniarium doingiers* 10, 5, 3; *donare doneir* cj. pr. *doinst* 2, 9, 5. 18, 3, 1; *longe loing*; *pugna poene* 8, 2, 4. *pungere poendre* 1, 11, 5. *punctum poens poins* 4, 3, 3. 13, 5, 6. 41, 3, 7. Der Diphthongierung von *a* in *ei* (*Crestieins*. *eincore*) folgt auch hier wie oben vor *r* die blofse Ausgleichung in einfaches *e*: *christiien* Eul. 14. *chrestiens*; *paganus pagianus*, *pagiens* Eul. 12. 21. *paiens*; *-ens* 4, 5, 3 neben *ains*.

C. ANGLEICHUNG AN DEN VOCAL DER FOLGENDEN SYLBE.

Diese geschieht sonst überall nur so, dafs ein betonter Vocal, meistens der Vocal der Wurzelsylbe, in Übereinstimmung gebracht wird mit dem der Flexion oder der Ableitung. In den germanischen Sprachen, nur noch in der gothischen nicht, wirken solcher Art eigentlich alle Vocale, auch der Halbvocal *j*, indem man ihn für *i* versteht; alterthümlicher in Form der Diphthongierung: ahd. *anti einti*, altn. *ſadull ſaudull*; gewöhnlich in der des s. g. Umlautes und der Brechung, wobei nur die Qualitæt, nicht aber auch die Quantitæt des Wurzelvocals sich ändert*): goth. *niman* ptc. *numans*, ahd. *neman kinoman*; cj. pr. *niutai niozê*; *anti enti*; *nasjan nerjan*; *ſadull ſödull*. Das Griechische und das Lateinische kennen nur noch die Diphthongierung, jenes mit ι und υ, dieſs beinah bloſs mit *i*: *ταναός ταινία tænia*, *ἐνί εἰνί*, *πολύς πουλύς*, *πλατύς plautus*.

Dabei pflegt jedoch eine Abweichung von dem eigentlich regelrechten Wege vorzukommen, und zumal beim deutschen Umlaut ist sie in Gebrauch, daſs næmlich der diphthongierende oder Umlaut bewirkende Vocal aus der Schluſssylbe verschwindet und nur noch verschmolzen mit dem der Wurzel erscheint, daſs man nur die Wirkung noch sieht, aber nicht mehr am rechten Ort auch die Ursache. Also goth. *namnjan*, ahd. *nemnan*, mhd. nhd. *nennen*; *ſvêris ſwâri ſwære ſchwer*; ahd. *duris*, ags. *thyrs*; goth. *magus*, altn. *mögr*; gr. *ἐν ἐνί εἰν*, *φόνος φοίνιος φοινός*; *γόνυ γούνατος*; goth. *lats latjan*, lat. *lædere*; *cadere hatjan cædere*. Und mit Verlängerung statt unthunlicher Diphthongierung *ſedeo ſêdo*, *μαρτυρέομαι μαρτύρομαι*.

In eben solcher Art übt nun auch das Franzœsische die Angleichung betonter Sylben an das *i* (andre Vocale

*) dem entsprechend und damit zusammenhangend, dass im Hochdeutschen *i* und *u* einem nachfolgenden *h* oder *r* auch nicht mehr diphthongisch, sondern bloss durch einen Mittellaut angeglichen werden: goth. *raihts* ahd. *reht*, *thauh doh*, *vair wer*, *haurn horn*. Denn Diphthongierungen und Triphthongierungen mit *e* = *a* wie *gieht wier*, *gîr Geier*, *bûr Bauer* gehœren bloss der Mundart einzelner Länder und Zeiten an.

betrifft es kaum) einer nachfolgenden unbetonten: letzteres wird diphthongierend zurückversetzt; undiphthongische Vermittelung findet sich nur in der Endung *omes ons om*, die zunæchst aus lat. *amus* hervorgegangen, dann auch auf Verba mit anderm Character übertragen wird: *cantamus* afr. *chantomes chantom*, afr. nfr. *chantons*; und ebenso *vendomes partomes.**)

e. Beispiele der Diphthongierung. Mit *i*: lat. *varius vairs* 27, 2, 3; *contrarius contraires; vidarium? viaires* 7, 5, 5; *area* ital. *aria*, *aire*, adj. *debonaires***) 11, 4, 2 u. a. *debonairement* 11, 3, 6; *baccalarius baicheleirs* 22, 5, 2; *ſolatium ſolais;* mit Vorschaltung des *i*. (wie im deutschen *iu*: *fûl fûlt fiule*) *caballarius denarius primarius ſcacarium ſcutarius viridarium*, *chevcliers deniers premiers eſchaiquiers* 13, 5, 6. 41, 3, 7. *eſcuiers vergiers; laudare*, prov. *lauzar*, *los* 23, 2, 8. *loſenge*, *loſengiers; erit iert*. 8, 6, 10 u. a.; *heritier*, *alterum-heri autrier; miniſterium meneſtier* Eul. 10. *meſtiers; tertius tiers; eſtis ieſtes* 41, 2, 5; *poſſit puiſt* 7, 6, 9 u. a. *puiſſe* 11, 7, 3; *morior muir* (statt *mur?*). 10, 1, 9. 18, 3, 5; *totus tous*, *totum tout*, *toti tuit* Eul. 26. 1, 11, 2 u. a.; *exire iſſir*, ptc. *iſſus* pl. *iſſuit* 1, 11, 4; *innodium? anuis anuit* 1, 11, 3. 16, 5. 11, 5, 6. adj. *anoious* 23, 4, 1. Mit *u*: *diabolus diaubles* 47, 4, 5; *viduus veus veut* 1, 16, 1. 22, 5, 5.***)

7⁰. ANGLEICHUNG DER CONSONANTEN.

Auf sieben Wegen haben wir franzœsische Diphthongen neu entstehen sehn: durch Synæresis eines Hiatus,

---

*) vgl. neuital. *cantiamo vendiamo partiamo* neben altital. *cantamo vendemo partimo.*

**) vgl. *deputaires*: Adjectivbildungen wie ἐγγύς *behende vorhanden ohngefähr zufrieden.*

***) An der ersten Stelle fordert jedoch der Reim *vuis*, wie nfr. *vuide*: Vorschaltung des *u*, oder bloss Angleichung von *v* und *i*?

durch Tilgung eines Consonanten und Zusammenziehung der sich nun berührenden Vocale, durch vocalische Vertretung eines aufgegebnen Consonanten, durch Hebung eines betonten Vocals, durch Angleichung eines solchen an den vorhergehenden Consonanten, durch Angleichung an den nachfolgenden, endlich durch Übernahme des Vocals der næchsten Sylbe. In der Hälfte der Fälle giebt also ein Consonant den Anlafs her zu der Veränderung des Vocals. Nun findet aber auch die umgekehrte Wirkung Statt: gewisse Vocale bedingen eine wechselnde und veränderte Beschaffenheit des benachbarten Consonanten. Und dabei machen sich innerhalb der zwei Lautclassen dieselben Wahlverwandtschaften geltend, von denen bisher schon genug die Rede gewesen.

Bestimmung des consonantischen Lautes durch den nachfolgenden Vocal zeigt sich beim *c*, welches anders vor *a*, anders vor *i* und dergleichen Vocalen gesprochen wird, und damit zusammenhangend bei *t*, dessen Verbindung mit tonlosem *i* gleichfalls ein gezischtes, nicht auf Italiæner Art gequetschtes *c* oder ein *ſſ* oder *x* oder *ſ* ergiebt: *tretjan traicier*, *factio faiſſon*, *ratio raixon*, *potio poiſon*; vgl. oben S. 126. Mehr als dieser kurzen Erwähnung bedarf es nicht: der Unterschied ist vom Altlateinischen ererbt.

Einwirkung auf den nachfolgenden Consonanten, oder wenn man es lieber so will, Mitveränderung desselben tritt häufig ein bei der Hebung und dem zweiten und dritten Fall der Angleichung der Vocale. Wie im Deutschen ein umlautendes *i* nicht selten auch den Consonanten der Sylbe verdoppelt oder verhärtet, also zugleich in beides, den Vocal und den Consonanten, übergeht: goth. *faljan* ahd. *ſellan*, *badi petti*, *fatjan ſezzan*, *hafjan hepphan*; wie dieselbe Doppeländerung zuweilen auch im Griechischen vorkommt: μεγίων μείζων, κρατίων κρείσσων *); eben dergleichen, aber mit bedeutsamer Einschränkung auf liquide Consonanten, namentlich auf *l* und *n*, im Altfranzœsischen.

Beispiele verdoppelter Liquida hinter einem gehobenen Vocale: *ameir aimme* 2, 4, 3 (*enme* 6, 2, 7) u. a. *aimment* 1, 12, 4; *desmanoir desmainne* 16, 1, 4; *tenir tiennent* 41, 4, 5; *meneir moinnet* 45, 6, 6.

Verdoppeltes *l* und *n* hinter angeglichenem *a* und *e*: *talis teils teille* 27, 5, 5; *malapticum*, prov. *malatges*, *maillége* 23, 6, 6; *certains certainne* 16, 2, 4. 22, 3, 1; *humains humainne* 41, 2, 4. 45, 11, 5; *mondains mondainne* 45, 12, 5; *plains plainne* 45, 12, 4; *premerains premerainne* 16, 1, 1; *prochiens prochienne* 46, 8, 4; *fains fainne* 35, 3, 7; *vilains vilainne* 20, 2, 6.

Verdoppeltes *l* zwischen angeglichenem Vocal und nachfolgendem *i*: *aliorsum aillors*; *baliva baillie* 7, 6, 10 u. a. *baillir* 1, 14, 4; *falire faillir*; *valere valire valiens vaillans*; *voloir veullies* 9, 3, 7. 43, 3, 7; *oleum oilles* 21, 7, 6 (*oile* 8, 2); *mulier moilliers* 1, 1, 5 u. a. In *consiliare consillier* 1; 1, 3. *consellier* Eul. 5. *melior millor* 1, 10, 5 ist zwar der vorlautende Vocal unangeglichen, aber an sich schon ein *i* gleich dem nachlautenden.

Das Italiænische statt den Vocal zu diphthongieren und das *l* zu verdoppeln schlægt letzterem gern ein *g* vor: *migliore mogliera oglio*; und vertauscht auch ursprünglich schon verzwiefachte *l* vor nachlautendem *i* gegen *gl*: *colligere* fr. *coillir*, *cogliere*; d. h. es nimmt das *i* consonantisch umgestaltet in die Vordersylbe herüber. Ebenso verfährt es, und ebenso hier das Franzœsische, wo ein-

---

*) Bei liquiden Wurzeln schwanken das Griechische und das Lateinische zwischen blosser Diphthongierung oder Verlängerung des Vocals und blosser Verdoppelung der liq.: στερεός στεῖρος στεῤῥός, *mille milia*, *villa vilicus*. Denn Doppelvocal und Doppelconsonant zugleich duldet das Sprachgesetz eigentlich nicht.

fachem oder doppeltem *n* noch ein *i* oder ein zu *j* erweichtes *g* folgt: beidemal wird da *gn* geschrieben, und aufserdem im Franzœsischen der Vocal mit *i* diphthongiert: *Campania Champaigne* 15, 1, 4; *companius compania*, ital. *compagno compagnia*, fr. *compains compaignon* 22, 2, 3. *compaignie* 7, 5, 9; ahd. *weidanjan guadagnare gaaignier*. 20, 3, 5; *Britannia Brettagna Bretaigne* 15, 1, 2; *refrangere refraindre*, *refraignoit* 49, 1, 7; *plangere plaindre plaigne* 10, 1, 6. 15, 2, 2; *attingere ataindre ataigne* 15, 1, 9; nach deren Analogie auch *prehendere prendre praigne* 15, 2, 9. *preigne* 46, 3, 3; *Matifconienfis Mafcoignois* 17, 5, 1; *teftimoniare tefmoignier* 2, 12, 5 u. a.; *allongare aloignier* 1, 11, 5. 35, 1, 7; *refomniare rifognare refoignier* 20, 4, 5; *venire veniat*, ital. *venga*, *vaigne* 51, 4, 2. mit undiphthongiertem *i* *conveniat covigne* 30, 2, 6. *fubveniat fovigne* 25, 4, 1; *lufciniola roifignors*. Die neuere Aussprache fafst diese *gn* und *gl* und so auch jene franzœsischen *ill* als *nj* und *lj* auf; ja schon im zwölften dreizehnten Jahrhundert hat man die Laute so umgestellt und umgestaltet, da die mhd. Dichter *Britanje Schampanje* udgl. wiedergeben. Dennoch mufs der ursprüngliche Platz des Gaumenlautes der gewesen sein, den ihm die altübliche Schreibung anweist. Da aber ist *g* wie nasales *n*, also mit Angleichung der Consonanten *gn* wie *ngn* gesprochen worden. Denn auch vor altlateinischem *gn*, das jezo zwar den Italiænern und Franzosen gleichfalls wie *nj* lautet, den Römern aber wie *ngn* gelautet hat *),

---

*) Man findet auf Inschriften *fingnum*. Hier also übertragen die Rœmer das ableitende *n* zugleich auch in die Wurzel, wie das die Griechen regelrecht bei schwachen Verbalbildungen thun: *λείπειν λιμπάνειν*; während die Gothen dieses verbale *n* nur in der Ableitung, die Rœmer es nur in der Wurzel haben: goth. *lifnan*, lat. *linquere*. *Lifnan* ist im Gang der consonantischen Angleichung was im Gange der vocalischen ahd. *fali*, *λιμπάνειν* was *faili*, *linquere* endlich was unser *feil*.

kommen eben jene nasalen Lautangleichungen vor: *agnellus aignials* 48, 1, 17 u. a.; *dignare doignier* 27, 5, 6. *daigne* 15, 2, 4. *doigne* 52, 1, 4. *doignies* 29, 5, 4; *insignare ensignier ensaigne* 24, 3, 2 fgg. Und was den vollen Entscheid giebt, mehr als einmal ist wirklich ein ganz ausgeschriebenes *ngn* zu lesen: *ingeniare engingnier* 37, 2, 4; *grandior graindre gringnor* 2, 6, 5. *ingrandiare engringnier* 46, 2, 2; *veniendo* altital. *vengnendo*; *senior sengnore*. Im Altitaliænischen dieselbe Häufung und Angleichung zuweilen auch bei der andern liquida: *talglia melglio pilgliare volglia* udgl.

8°. Flexion der Nomina.

Das jezige Franzœsisch kennt nur noch in der Flexion der persœnlichen Fürwörter einen dürftigen Casusunterschied; sonst jedoch decliniert es nomina und pronomina blofs so weit, dafs der Wechsel von Geschlecht und Zahl bezeichnet ist, nicht aber auch der Wechsel des syntactischen Verhältnisses: als Subject und als Prædicat wie als Object und in jeder andern Abhängigkeit haben die Worte gleichmæfsig dieselbe oder auch gleichmæfsig gar keine Endung. Und zwar gilt mit einer Vertauschung und Verarmung die innerhalb des Deutschen schon um manches Jahrhundert früher begonnen hat*) die eigentlich nur accusativische Form jezt auch mit für den Nominativus: nicht blofs die emphatischen *moi* und *toi* für *je* und *tu* beruhen auf lat. *me* und *te* wie *soi* auf *se*: auch *mon ton son*, pl. *mes tes ses* heifsen ihren Lauten gemæfs ursprünglich nur s. v. a. *meum tuum suum*, *meos, tuos suos*; und so hat überhaupt,

*) goth. nom. *dags*, acc. *dag*: ahd. u. s. f. beidemal *tak*. So jedoch nur bei Substantiven: Adjectiva unterscheiden die Casus jezt noch wie im Gothischen: *hails hailana*, *heiler heilen*. Noch früher haben Griechen und Rœmer den Accusativ statt des Nominativus gesetzt, wenn sie den acc. c. inf. auch im Sinne des Subjects gebrauchen.

mit Ausschlufs allein der weiblichen Worte auf stummes *e*, die neufranzœsische Form der Substantiva wie der Adjectiva vormals nur zur Bezeichnung des Objectes gedient und zur Umschreibung des genitivischen und des dativischen Verhältnisses, als Nominativ des Subjects und des Prædicates aber nicht. Denn das Altfranzœsische, schon wie es in den Eiden von Strafsburg vor uns liegt, und wie von all seinen Schwestersprachen nur noch die Provenzalische verfahren ist, bekleidet den nom. sg. aller männlichen und neutralen und aller nicht auf stummes *e* auslautenden weiblichen Worte mit einem *s*, und ebenso den acc. pluralis; der acc. sg. und der nom. pl. haben diefs Flexionszeichen nicht; Genitiv und Dativ aber werden mit dem Accusativ und einer Præposition, zuweilen auch ohne diese mit dem blofsen Accusativ, nun also der Form für jegliches Abhängigkeitsverhältniss, ausgedrückt.*) Das heifst: aus der Verwirrung des untergehenden Lateins heraus hat die Sprache mit einem entschlofsenen Griffe, der zu den grofsartigsten Ereignissen des grammatischen Theiles der Geschichte gehœrt, fast all ihre nomina unter die einfache und nun noch mehr vereinfachte Regel der zweiten lateinischen Declination gerettet und geordnet**): denn die zwei *s* beruhen auf *us* und *os*, und auch die lateinische Endung der zwei andern Casus, obschon fast

---

*) Accusative der letzteren Art kommen zumal von Eigennamen und dem ähnlichen Substantiven vor. Den genitivischen Bezug scheint man anfänglich durch eine einschaltende Voranstellung gesichert zu haben: *pro deo amur* Eid v. Strassb.; *li deo inimi* Eul. 3; *lo deo menestier* Eul. 10; noch *en mon peire vergier* 1, 5, 3. 7, 4. Spæterhin gilt auch hier die gewohnte Nachstellung regierter Worte: 1, 1. 3. 6, 2. 12, 1. 13, 2. 3, 3. 4. 13, 6, 6. 21, 6, 6. 35, 6, 1. 47, 3, 9. 50, 4, 1 u. a. Dativische Accusative sind seltner: Beispiele 1, 5, 2. 2, 2, 4.

**) Auf eben diesen Weg kam auch das Altitaliænische, indem es *dux consul genus* in *dogio consolo genero* übertrug.

immer apocopiert, ist doch nicht spurlos verloren gegangen: acc. sg. *illum lon*, *londemain* 16, 3, 4 (oder *loudemain?*); *meum*, *meon* Eide v. Strafsb. *mon*; *amicus amis*, *amicum amin* 2, 11, 3 u. a.; *inimicum anemin* 44, 1, 6; *mundus mons* 23, 3; 4 u. a. *mundum monde* 10, 6, 3. 45, 1, 5 (neben *mont* 23, 7, 4 u. a.); *infans enfes*, *infantem anfante*: *en manfante* s. v. a. *me infante* 15, 4, 2 (vgl. weiter unten); *fpiritus efperis*, *fpiritum efperite* 45, 9, 7; nom. pl. *mei mi* 49, 3, 2; *fui* 2, 2, 4; *duo dui* 35, 8, 3. *ambo-duo* ital. *ambedui*, *andui* 1, 11, 2; *toti tuit* Eul. 26. 1, 11, 2 u. a.; *exuti* (für *exiti*) *iffuit* 1, 11, 4.

Besonders nachdrücklich in Ohr und Auge fallend ist der Unterschied der Casus, wenn der Schlufsconsonant des Wortes vor dem flectierenden *s* verschleift und nur in den Formen ohne *s* belafsen wird: *dus duc* 1, 1, 2. 2, 2 fgg. 21, 7, 1; *frans franc*; *Girairs Girairt* 2, 1, 2. 6 fgg.; *grans grant*; *furdus xors xort* 37, 1; *caput chies chief*; *gravis gries grief*; *clavis cleis cleif*; *vis ententis jolis penfis*, *vif ententif jolif penfif*; *lons lonc*; *avris gentis*, *avril gentil*; *haus haut*; *-atus atum*, *-eis eit*; *-tas tatem*, *teis teit*; *drois droit*; *tous tout* u. s. f. Noch mehr, wenn zugleich die Vocalisierung oder den lateinischen Grundformen gemæfs auch der Accent oder gar die Zahl der Sylben wechselt und auf und ab geht: *meus meos* Eid v. Strafsb. *mes* 1, 1, 4 u. a., *meum meon mon*, *mei mi*, *meos mes*; ebenso *tes ton tui tes*, *fes fon fui fes*; *duo duos*, *dui dous* 31, 2, 3. 35, 6, 6; *infans infántem infántes*, *énfes* 52, 4, 2. *enfánt* 36, 5, 6. n. pl. 38, 2, 1. acc. pl. *enfáns* 38, 4, 5; *Húgo Hugónem*, *Úgues Ugón* 1, 1, 4. 9, 3 fgg.; *comes cuens coens* 1, 6, 4. 8, 1. *conte* 17, 5, 2. 5. 35, 8, 1. n. pl. 21, 7, 1; *baro bers* 50, 5, 1. n. pl. *barón* 22, 2, 1. acc. pl. *baróns* 37, 4, 4; *companio* oder *companius*, *compáns* 27, 6, 9. *compaignón* 22, 2, 3. acc. pl. *compaignóns* 22, 6, 1.

Das Neufranzœsische hat hier und überall schon für

den Nominativ die einst blofs accusativischen Formen: *duc grand chef long gentil tout mon deux enfant comte baron compagnon;* und wenn es neben letzterem auch noch *compain* im Sinne von Stubencamerad gebraucht, wenn es mit altnominativischem *s fils Charles* und *Hugues*, wenn es *ancêtre traitre corsaire dédicace populace* sagt (*antecéssor tráditor cursátor dedicâtio populátio*), nicht in sonst üblicher Weise *ancessour traiteur coursour dédication* (*antecessórem tráditórem cursatórem dedicatiónem*: vgl. *ancessor* 2, 12, 5. *corsour* 49, 1, 10): so sind das eben nur vereinzelte Antiquitæten, und noch dazu missbrauchte: Nominativformen, aber ohne *s*; Formen mit *s*, die aber auch Accusative sein dürfen; und *Huges* und *Huon*, Nominativ und Accusativ, gelten sogar für zwei verschiedene Eigennamen. Weitere Beispiele der Art unten bei den Comparativen.*)

Der Vorzug den auch in dieser Beziehung das Altfranzœsische vor dem neueren hat, ist unläugbar: diese Wandelbarkeit der einzelnen Worte vermehrt den Wohllaut der Rede, giebt auf einfachste Weise dem Ausdruck Bestimmtheit, und begünstigt damit ein freieres Verfahren in Bau und Bildung der Sätze. Denn dafs im Altfr. Inversionen nach deutscher Art noch ganz geläufig sind, dafs die pronominale Bezeichnung des Subjectes häufig genug ganz unterbleibt, diefs und andres dem ähnliches kommt doch nur daher, dafs die Sprache noch nicht so genœthigt ist blofs durch die Stellung der Worte zu zeigen welches regierend sei und welches regiert, und dafs sie nicht schon im Declinieren sich an einen Aufwand blofs auxiliarer Wörter hat gewöhnen müfsen.

---

*) Anders mit *sens*. Das Afr. unterscheidet nom. *sens*, acc. *sen*: denn es hat das Wort aus dem deutschen *sin*; das Nfr. setzt beidemal *sens*, denn es denkt sich als Ursprung das lat. *sensus*. Darum jezt auch *sensé* nach lat. *sensatus*, afr. aber *seneis*.

Aber das Aufgeben der characteristischen Form des Subjectes gegen die seines geraden Gegensatzes, des Objects, ist doch nicht blofs neufranzœsisch: schon in der älteren Sprache ist es auf mehrfachen Wegen wenigstens angebahnt. Schon da kommen, meist zwar nur als Ungenauigkeit und durch Verwechselung, Nominative sing. vor ohne *s*: *amor* 7, 1, 1. 9, 1, 2. 12, 3, 4. 14, 1, 1. 3, 5; *cleif* 31, 1, 5; *Denise* 2, 12, 1; *deu* 21, 5, 3. 40, 4, 2; *mort* 27, 6, 10; *roisignor* 30, 1, 1; *hom* 28, 5, 7. 41, 4, 1. *om* 28, 1, 3. *hon* 26, 1, 7 und immer so *om* und *on* in dem abgeschliffneren pronominalen Sinne *): in substantivischem sonst auch *hons* 1, 13, 3 u. a. *ons* 28, 1, 8. acc. sg. *home* 1, 2, 4 u. a. *hom* 41, 1, 3. n. pl. *home* 22, 2, 1. 23, 5, 1. Ferner Nominative plur. mit *s*: *amors* 13, 5, 2. 31, 1, 1; *clergies* 23, 5, 1; *gens* 21, 8, 3. 37, 1, 3; *mals* 1, 16, 7; *nuis* 26, 4, 1.**). Und schon da zuweilen Accusative persœnlicher Fürwörter im Sinn hervorgehobener Nominative: *moi* 48, 5, 7. Ja sogar, was nicht einmal neufranzœsisch geblieben, und doch bei Einem Worte zu häufig für einen blofsen Schreibfehler ist, Accusative sing. mit der Endung *s*: *amors* 10, 1, 1; *auctoriteis* 3, 4, 3; *nuls* 43, 1, 3; *riens* 4, 1, 5 fgg. u. a.***) Ganz vorzüglich aber kommt hier in Betracht, dafs von gewissen Worten der Accusativus augenscheinlich einmal die einzige Form gewesen, dafs die Sprache mit ihm begonnen und erst aus ihm, bald mit keiner, bald mit grœfserer Veränderung, immer aber ohne Berücksichtigung der lateinischen Formunterschiede, auch einen Nominativ gemacht hat. Mit

*) *om dist* on doit, schon im Strassburger Eid.

**) Den Anfang zu dieser Abweichung mœgen die weiblichen Worte gemacht haben: sie stimmten dann besser zu ihrer adjectivischen Bekleidung, die von Rechts wegen auf *es* ausgieng.

***) In *Longis* Longinus 20, 1, 7. 31, 4, 1 ist ein lateinischer Eigenname inflexibel erstarrt.

keiner Veränderung bei den weiblichen Substantiven und Adjectiven auf stummes *e*, deren Pluralis von jeher im Nominativ wie im Accusativ mit *es* d. h. mit *as*, der alten Accusativendung, ist gebildet worden. Kühner, gewaltsamer ist das Verfahren bei solchen Worten wie *prixons* udgl. *riens miens abifmes orine amertume coustume*, wo den lateinischen Accusativen *prensionem rem meum abyssum originem amaritudinem consuetudinem* ohne weiteres ein *s* oder *e* = *a* (prov. ital. *costuma*) beigegeben ist, damit sie nun als Nominative gelten *). Auf dem gleichen Wege bildet die Mundart unserer Handschrift zu *amin* d. h. *amicum* den neuen nom. *amins* (neben *amicus amis*), und ebenso ist im Provenzalischen *vergena* aus *virginem*, im Italiænischen *speme* aus *spem*, und sind mit weiterer Vergleichung die neuhochdeutschen und neugriechischen Nominative *Balken Brunnen Galgen Kolben Rachen*, χειμῶνας γίγαντας πατέρας μητέρα θυγατέρα aus den entsprechenden alten Accusativen hervorgegangen.

Noch sind viererlei Formen übrig die nicht unter jenen einfachen blofs auf dem *s* beruhenden Unterschied fallen.

Die Neutra folgen nach allgemein romanischer Regel ganz den männlichen Worten. Nur substantivisch gebrauchte Neutra von Adjectiven nehmen das gewohnte *s* nicht an: *tout* 1, 5, 5. 15, 5. Ein Überrest der lateinischen Flexion.

Ferner der Vocativ. Allerdings zeigt auch dieser häufig genug das nominativische *s*: nicht blofs *deus*, auch *amis* 2, 4, 1. 5, 1. *biaus amis* 4, 4, 1. *amins* 4, 1, 6. 49, 1, 12 udgl. Aber kaum viel seltner sind Beispiele wo es fehlt, wo mithin die lateinische Grundform dieses Casus, eben wieder nach zweiter Declination, eine spæte Nachwirkung übt: *amis Girairt* 2, 4, 1. 5, 1. *biaul sire* 52, 5, 2. sogar *deu* 49, 4, 5. So mag auch in der Verbindung *dame deus*

*) So wird auch das mhd. *requiânz* auf ein fr. *requiens* d. h. *requiem* zurückgehn.

11, 9, 5 u. a. der nom. *dame* für *dans (dominus)* veranlafst sein durch den geläufigen voc. *domine deus.*

Sodann der Nominativus von Comparativen in *-ior.* Dieser unterscheidet sich vom Accusativus wohl durch Accent und Vocalisierung: *grándior grandiórem, gráindre* 16, 3, 4. *gringnór* 2, 6, 5 u. a.; *mélior meliórem, múedre* 5, 3, 3. 41, 2, 5. *millór* 1, 10, 5 u. a.; *minor minórem, móindre menór* 23, 2, 5.*) Und so auch vom Neutrum das zugleich Adverbium ist: *melius muels* 1, 14, 5 u. a. *mials* 11, 12, 9; *minus moins* 21, 4, 5. Aber das gewohnte Kennzeichen pflegt der Nominativ nicht zu erhalten; nur *pejor* heifst 40, 3, 1 *pires* (acc. *peor,* neutr. adv. *pix* 32, 1, 10. Zeitw. *empireir inpejorare* 38, 1, 1. 45, 6, 3); *senior* als Titel d. h. als Substantiv gefafst, *sendra* Eid v. Strafsb. *sire* **) 21, 3, 4. 29, 6, 7. 45, 6, 7. 50, 2, 7. voc. 1, 7, 5. 14, 2. 15, 1. 52, 5, 2. und auch *sires* nom. 1, 14, 1. 22, 4, 2. voc. 26, 1, 1. 43, 3, 1. acc. *signor* 1, 3, 4 u. a. nom. pl. 7, 1, 4. voc. 26, 2, 7. acc. *signors* 37, 3, 3. Woher jener Mangel des *s,* da doch die Substantiva auf *or* der Regel folgen? Der Anlafs dürfte ein doppelter sein. Einmal die Analogie andrer gleichfalls auf *re,* ursprünglich auf *er* auslautenden Worte, die zuweilen nach dem Vorbild des Lateinischen auch ihren Nominativ ohne Zeichen bilden: *frater freire* 1, 5, 1; *vostre* 10, 3, 1 (*vostres* 6). 11, 4, 4 fgg. 28, 5, 7.***) Und dann wohl auch Einwirkung des alt-

*) Auch im Neufranzœsischen *moindre* und *mineur* und ebenso *maire* und *majeur* neben einander, aber nicht mehr als verschiedene Casus, sondern jezt als verschiedene Worte, und *maire moindre* auch als Accusativ, *majeur mineur* auch als Nominativus; *meilleur* und *pire* bloss noch in dieser dort accusativischen, hier nominativischen Form.

**) *Messire* ist dieselbe verschleifende Kürzung des nom. *meos sendra* wie *monsieur* des acc. *meon signor.*

***) Die proclitische Abkürzung unterscheidet nom. *vos* 4, 4, 2. 32, 2, 3. und acc. *vo* 1, 10, 4. 9, 3, 7. 30, 3, 4 u. a.

deutschen Gebrauchs Comparative schwach zu flectieren, also auf goth. *minniza* zu sagen und auf ahd. *minniro*, nicht etwa nach nhd. Art *minnirer* wie *minderer*. Ebenso nun auch *moindre*, nicht *moindres*; wære uns zum goth. Superlativus *finista* der Comparativ erhalten, er würde *finiza* lauten und ahd. *finiro*, grade wie *senior* im ältesten Franzœsisch *sendra*. Deutsche Miteinwirkung wenigstens erscheint um so annehmbarer, da selbst die regelrechte Flexion mit ihrer Ausdehnung des *s* auf allerlei Worte die im Lateinischen kein solches kennen, eine verwandtschaftliche Seitenbeziehung zur gothischen Declinationsart verrathen möchte.

Endlich belegen auch unsre Lieder einige stehn gebliebene Genitive plur.: *paschorum pascor* 47, 1, 3 mit *de* construiert, und *vavesors* 2, 2, 5 aus *vassus vassorum* ebenso als Ein flexibles Wort hervorgegangen wie *lor*, acc. pl. *lors* 15, 1, 3 aus lat. *illorum*: das deutsche *ihr* und überhaupt alle Besitzfürwörter sind nicht anders entstanden, nur meistens nicht so augenfällig.

IV.

Es sei mir vergönnt, auf die grammatischen Erörterungen des vorigen Abschnitts einige litterarhistorische folgen zu lafsen.

Die nationale Dichtung der Franzosen war im zwölften Jahrhundert so weit gediehen, dafs sie auf rein organischem Wege neben die Epik nun auch die Lyrik hätte stellen können. Aber gleich bei den ersten Schritten ward die eigene freie Entwickelung gestœrt: zwar die Epik gieng unbehindert vorwärts: die Lyrik jedoch baute sich nicht weiter aus auf dem Grunde welchen der National- und Kirchengesang früherer Jahrhunderte gelegt hatte: sie griff nach Maafsen und Mustern der Fremde, der Provence; und somit eines festeren Anhalts entbehrend, zerspaltete sie in Kunstlied und Volkslied, in eine Lyrik der Hœfe, deren Anfänge in einer fremden Litteratur gelegen, und deren Leistungen dem Leben der eignen Nation meist entfremdet waren, und eine Lyrik der niederen Stände, die im Ganzen zwar bei der altnationalen Weise verblieb, aber je mehr und mehr auch der Seitenwirkung der Hofpoesie sich öffnete ohne doch mit dieser den Standpunct hœherer Sitte und Bildung zu theilen. So kam es dafs die Lyrik der Franzosen weit zurück trat hinter deren Epik, dafs in der altfranzœsischen Litteratur das vollere Gewicht der Kraft ebenso auf dem Epos ruht, wie in der provenzalischen, die aus eigenem Sinn der Ependichtung sich entschlug, auf dem lyrischen Sange.

Es waren aber næchst den Hauptmotiven der geographischen Nachbarschaft, der gemeinsamen Ritterfahrten im Dienst des Kreuzes *) und des anerkannten Vorranges der Provenzalen in feinerer freierer Geistesbildung noch mancherlei andre Umstände die ihrer Lyrik Eingang in Frankreich verschafften, und als er einmal gewonnen war, auch für länger behaupten halfen, Verhältnisse regierender Herrn des Südens und des Nordens, wichtig genug für eine Kunst die ihre Freunde und Gönner zumal an den Hœfen suchte. Umstände der Art sind die Vermählung Eleonorens von Poitou mit Ludwig VII von Frankreich (1137), dann mit Heinrich von Anjou, Herzog der Normandie und Kœnig von England (1152), die Hofhaltung ihres Sohnes Richard Lœwenherz in Guyenne (1169), das Navarrische Kœnigthum Theobalds IV Grafen von Champagne (1234), endlich die Erheirathung der Provence durch Karl von Anjou (1246).

Am Hof Eleonorens und eng mit ihr befreundet lebte Bernard von Ventadour, einer der besten Meister des provenzalischen Minnegesangs; Richard zog wieder franzœsische Sänger an den seinigen, und dichtete selbst in beiden Sprachen: sein im Kerker verfastes Lied (Nr. 22) ist auch provenzalisch vorhanden; Karl von Anjou war, obschon den Dichtern der Provence verhalst, doch beliebt bei den franzœsischen (36, 8), und er auch übte selber die Kunst; Graf und Kœnig Theobald aber steht mit Gedichten von ebenso grofser Anzahl als seltner Vollendung in der vor-

*) Auf diese beziehen sich in unsrer Sammlung die Lieder Nr. 20. 21. 23. Letzteres legt Michel dem Castellan von Couci bei: dass es jedoch von dem Herrn von Bethune ist zeigt ausser den guten und zahlreichen Handschriften welche es diesem geben (auch das Stuttgarter Fragment in Mones Anzeiger 7, 411) namentlich ein Gedicht seines Landsmannes und Meisters Hugo von Oisi das gegen ihn und mit wörtlichem Bezug gegen eine Stelle dieses seines Liedes gerichtet ist: s. Paris Romancero 103.

dersten Reihe der altfranzœsischen Lyriker: eines derselben bei uns Nr. 25, und Nr. 26 ein an ihn gerichtetes. Schon früher, vielleicht als Gast Blankens von Navarra, der Mutter Theobalds, war ein Troubadour am Hof der Champagne gewesen, Richard von Barbezieux: zum wenigsten ist eines seiner Lieder der Græfinn von Champagne zugeeignet. Und recht als Zeichen vom Vordringen der provenzalischen Lyrik hat sich eben diefs Gedicht sogar bis in unser franzœsisches Liederbuch hinein verloren (Nr. 19), nur mannigfach entstellt und mit dem unrichtigen Namen Folquets von Marseille.*). Ich gebe es noch einmal in der echteren Form die es bei Raynouard hat (3, 455 fg.).

Tug demandon qu'es devengud' amors,
et ieu a totz dirai ne la vertat:
tot en aiſſi cum lo ſolels d'eſtat
que per totz locs moſtra ſas reſplandors
e 'l ſer vai ſ'en colgar, tot eyſſamen
o ſai amors; e quant a tot ſercat,
e non troba ren que ſia a ſon grat,
torna ſ'en lai don moc premeiramen.
Quar ſens e pretz, largueza e valors,
e tug bon pretz hi eron ajuſtat
ab fin' amor per far ſa voluntat,
et era y joys, dompneyars et honors;
tot atreſſi cum lo falcx qui diſſen
vas ſon auzelh quan l'a ſobremontat,
diſſendia ab douz' humilitat
amors en ſelhs qu'amavon leyalmen.
Amors o ſai, ſi cum lo bos auſtors
que per talan no ſ mov ni no ſ desbat,
enans aten tro qu'om l'aya gitat,

*) *Forkeſ de Merſaille ſorpointevin* d. h. *ſor poitevin* auf Poitevinisch, in der Sprache von Poitou.

pueis vol' e pren son auzelh quan l'es fors;
e fin' amors aissi guarda et alen
jove dompna ab enteira beutat
on tug li ben del mon son assemblat,
e no y falh ges amors, s'aital la pren.
E per aisso vuelh suffrir mas dolors,
quar per sufrir son manh ric joy donat,
e per sufrir son manh tort esmendat,
e per sufrir vens hom lauzenjadors,
qu' Ovidis ditz en un libre, e no i men,
que per sufrir a hom d'amor son grat,
e per sufrir son manht paubre montat;
doncx sufrirai tro que trop chauzimen.
E doncs, dona, pus que gaugz e valors
s'acordon tug en la vostra beutat,
que no y metetz un pauc de pietat
ab que m sessetz al mieu maltrag secors!
qu'aissi cum selh qu'el fuec d'isern s'espren
e mor de sel ses joy e ses clardat,
vos clam merce, quar tem n'aiatz peccat,
si m'ausizetz, pus res no us mi defen.
Pros comtessa e gaia, a pretz valen,
que Canpanes avetz enluminat,
volgra saupsetz l'amor e l'amistat
que us port, car lays tan mal mon cor dolen.
Belh Paradis, tug li dotze regnat
aurion pro de vostr' essenhamen.

Noch findet sich in unsrer Handschrift ein Kœnig von Aragon als Mithalter eines getheilten Spieles (oben S. 89): wahrscheinlich Peter II, 1204—1213, der auch mit Guiraut von Borneil, aber mit diesem auf Provenzalisch, eine Tenzone gewechselt hat, und den noch andre Troubadoure nicht hoch genug zu preisen wifsen. Hier also Rückwirkung Frankreichs in das Gebiet der provenzalischen

Sprache; auch Amalrich von Creon, Cherdon von Croisille und Robert von Mauvoisin dichteten franzœsisch, wennschon sie den Namen nach in der Guyenne, im Limousin, in der Gascogne daheim waren.

Die Kunstlyrik der Franzosen war jedoch nur ein falber dürftiger Wiederschein des provenzalischen Urbildes. Gleich das Gebiet ihrer Stoffe schränkte sie noch um vieles enger ein, als schon hier geschah, und vertauschte noch durchgängiger die Empfindung gegen die Reflexion, die Sprache des Herzens gegen kühle Dialectik. Nur selten Sirventese: sie hätten zu unhœfisch ins Leben eingeschnitten; hœchstens im Dienst der Kirche und des Kreuzes oder einer allgemeineren Moral mochte man sich deren gestatten (Nr. 20. 21 und 37. 38); häufiger der gefahrlose Wortstreit des getheilten Spieles (35); zumeist aber waren es Minnelieder die man dichtete. Und diesen, welcher besondern Abart wieder sie gehœren mœgen, fehlt fast allen der lebendig anschauliche Bezug auf die Person des Sängers und die der Besungenen, so dafs ich nicht weifs ob es überall mehr als eine blofse Redensart ist, wenn nach provenzalischem Gebrauch dem Liede (wohl zu merken, dem Liede, nicht einer überbringenden Person) befohlen wird zur Geliebten hinzugehn (12, 5. 13, 6) und wenn der Dichter Scheu trægt den Namen derselben auszusprechen (30, 3. 31, 5). Ein Minnelied nennt ihn (Nr. 34) wie es auch einen Boten nennt den die Geliebte soll singen lafsen: eigen dafs diefs zugleich ein Gedicht voll Poesie ist. Auch die üblichen Anfangsworte vom Wetter, von Winter Lenz und Nachtigall (12. 13. 14. 30. 33) erscheinen meist nur als Nothbehelf und eben üblich *);

---

*) Ein Franzose selbst rügt diese Ärmlichkeit, Kœnig Theobald in einer bekannten Stelle; nach unsrer Handschrift *Fuelle ne flour ne ualt riens en chantant. ke per defaute fenf plux de rimoier. et por faire folaif uilainne gent. ke lef mauaif mof font fouent abaier.*

nur Ein Lied unserer Sammlung (15) weifs diesen Anfang originell und schœn zu wenden, indem es eine Empfindung daran knüpft die überhaupt characteristisch ist für die altfranzœsische Poesie, und jedesmal wo sie sich äufsert das Gepræge der Wahrhaftigkeit trægt, die Empfindung der Heimatsliebe (12, 1. 18, 1. 2). Und dennoch aus dem Mund der Ritter keine Sirventese wie des Provenzalen Bertrand von Born. Wohl traf Blondel den Sinn seiner Kunstgenofsen, wenn er nur drei Freudenwege zu nennen wufste, Liebe Milde und hœfische Rede (de la Borde 2, 171 fg.):

A la joie apartient
d'amer mult finement,
et quant li lieus en vient
li donners largement;
encor plus i convient
parler cortoifement.
qui ces trois voies tient
ja n'ira malement.

Wie im Gehalt so erscheint auch von Seiten der metrischen Form die Kunstlyrik der Franzosen, allgemein genommen, nur als dürftige Nachbildung: aber das Abhängigkeitsverhältniss tritt hier, wo es blofs Äufserlichkeiten gilt, besonders deutlich hervor. Gedichte die irgendwie eine ernstere würdevollere Haltung ansprechen bewegen sich wie bei den Provenzalen in jambischen Decasyllaben; andern ist eine Mischung kürzerer Verse gestattet, womit auch die Franzosen gern einen geregelten Wechsel des jambischen und des trochæischen Rhythmus verbinden. So im 15 Liede sind je die 5 und die 6 Zeile, im 18 die 2. 4. 6. 8, im 32 die 5 bis zur 11 *), im 42 die 5 bis zur 8 trochæisch; im 33 je die 10 **), im 34 die 10 und 11,

*) 32, 1, 11 statt *laiffiee* zu lesen *laiffie.*
**) 33, 1, 9 *mis* für *mife.*

im 39. die 5 und 6, im 49 die 2. 4. 6. 8. 12 jambisch *); die übrigen aber dort jambisch, hier trochæisch.

Die Provenzalen lieben es, wie die erste Strophe eines Gedichtes gereimt worden, an den entsprechenden Stellen aller folgenden die gleichen Reime sich widerholen zu lassen; auch den Franzosen ist die Durchreimung nicht fremd: Beispiele Nr. 2. 9. 30. 35. 36. 38. 39. 40. 41. 43. 47; in Nr. 27 veranlafst die eigenthümliche Verkettung der Strophen einen gleichmæfsig fortgehenden Wechsel in der Anordnung der durchgeführten Reime. Aber, sei nun Mangel an Kunstfleifs oder Armuth der Sprache Schuld daran, häufig gilt der Einklang der Strophen nur im Grofsen und Ganzen, während er stellenweis durch den Eintritt abweichender Reime wieder aufgehoben wird: so Nr. 7. 14. 26. 34. Und auf diesem Wege noch weiter gegangen, wird den Franzosen grade das zum Gebrauch und zur Regel, was bei den Provenzalen nur als seltnere Ausnahme vorkommt, dafs næmlich die einzelnen Strophen jede ihr Reimsystem für sich haben, die Übereinstimmung also nur in der gleichen Gliederung und dem gleichen Geschlecht sonst ungleicher Reime beruht.**)

Bei solcher Entfernung von den provenzalischen Mustern empfahl es sich um so mehr, doch eine andre Kunst derselben nachzuahmen, die Anreihung und Verkettung der Strophen durch allerlei Mittel des Satzbaus und des Reimes. Es kehrt z. B. von System zu System in je einer Zeile derselbe Reim zurück: Nr. 4; oder es wird die Schlufszeile jeder Strophe gebunden mit der Anfangszeile der næchstfolgenden: Nr. 24; oder gar, mehr oder weniger

*) 49, 1, 11 *tai* zu streichen; 3, 10 *et* für *elle* zu lesen.

**) In Nr. 50, freilich einem volksmæssigen Liede, ändert sich ausser dem Laut auch das Geschlecht der Reime: Str. 1 hat nur männliche, Str. 2 weibliche und männliche, Str. 3 männliche und weibliche, Str. 4 nur weibliche, Str. 5 wie 3.

wörtlich, ganz oder theilweise, von derselben aufgenommen und widerholt: Nr. 27. 30.*) Dergleichen eignete man sich um so lieber an und hielt es fest, als nun, wo die Strophen übrigens ganz aus einander giengen, es doppelt gut und nothwendig war der Erinnerung des Vortragenden nachzuhelfen und die Erhaltung des Liedes in der rechten Zahl und Folge der Strophen und der Verse zu sichern. Unverkennbar ist ja nur diefs der wirkende Grund, wenn sogar in sonst anspruchlosen epischen Gedichten dieselben oder dem ähnliche Künste vorkommen, wenn z. B. auch in der provenzalischen Albigenserchronik Schlufs und Anfang je zweier Abschnitte durch Wortwiderholung verkettet sind, und im Roman von Bertha je der zweite Absatz den Reim des ersten, blofs mit Veränderung in das weibliche Geschlecht, wieder aufnimmt.**)

Ein Spiel von eigenthümlichem Reiz, das die Provenzalen öfters geübt haben, ist der grammatische Reim, die reimende Abwandelung eines Wortes durch verschiedene Formen der Flexion und der Ableitung. So nun auch die Franzosen: Nr. 28 und dem ähnlich 23, 3. 4, wo *ous* und *oufe*, die männliche und die weibliche Form dieser Adjectivsylbe sich verschränken.

Næchst dem rührenden Reime, der die gleichen Laute, aber in anderm Wortsinn widerholt, haben sich die Provenzalen ohne Bedenken auch den gleichen Reim gestattet, die Wiederkehr derselben Laute in derselben Bedeutung:

---

*) Ausonius hat in seinem Technopægnion (Idyll. 12) ein Gedicht von 16 Hexametern, deren jeder mit dem einsylbigen Schlussworte des vorhergehenden beginnt, der letzte aber mit dem Anfangsworte des ersten schliesst:

Res hominum fragiles alit et regit et perimit fors,
Fors dubia æternumque labans, quam blanda fovet fpes u. s. f.

**) Abweichungen die auf Verderbniss oder Mangelhaftigkeit des Textes hindeuten 21 bis 25. 69 fg. 77 fg. 107 fg. 122 fg. 132 fg.

sie durften es, da diese Armuth durch sonstige Kunst und Fülle reichlich vergütet ward, und ohne solche Freiheit die Durchreimung eines ganzen Gedichtes zuweilen vielleicht unmœglich gewesen wære. Die Franzosen, die es in letzterer Beziehung sich leichter und bequemer machen, hätten den gleichen Reim vermeiden können: sie machen sichs aber noch bequemer, und lassen ihn zu. Beispiele genug schon in unsrer kleinen Sammlung; gleich in dem ersten Gedichte endigen alle Zeilen der zweiten Strophe auf *venir*, alle der achten auf *pris*.

Aus der Dürftigkeit jedoch des gleichen Reimes und dem Spiel des rührenden hat eine kunstfertige Wendung die den Franzosen eigenthümlich ist, noch eine weitere Art von Reim, den s. g. leonymischen *), entwickelt, der von zwei- und dreisylbigen Worten den unbetonten Anfang nach gewöhnlicher Reimart, die betonte Schlussylbe mit dem gleichen oder dem rührenden Reime bindet: z. B. *monté : conté, vraiement : paiement*. Hin und wieder haben den leonymischen Reim auch schon die Provenzalen, doch eben nur hin und wieder, und niemals wohl mit eigentlicher Absicht: die Franzosen lieben und suchen und häufen ihn. Der Zusammenhang aber mit dem gleichen und dem rührenden Reime tritt besonders klar und deutlich darin hervor, dass gelegentlich beiderlei Reimarten untereinander gemischt werden: so im Eingange von Chrestiens Conte dou Greal, so im Eingange und am Schluss des Renart le nouvel, so bei uns in Nr. 11 und 29. Andre Beispiele des leonymischen Reimes 1, 11. 10, 5. 48, 6.

Schon in diesem Puncte haben wir die Franzosen das von den Provenzalen überlieferte weiter bilden und auch von

---

*) *rime léonime* oder *lionime*, nicht *léonine*, und von *leoninus* verschieden: das Grundwort muss ein griechisches λεώνυμος oder λειώνυμος sein.

sich aus Einiges thun sehn: es geschieht das noch in einer andern viel erheblichern Beziehung, in Beziehung næmlich auf den Bau der Strophen und der Lieder.

Die Provenzalen halten der Regel nach entweder gar keine Symmetrie des Strophenbaues inne oder doch eine freiere, leichtere, mehr nur obenhin geltende; es ist eine Richtung zur Dreitheiligkeit vorhanden, und sie ergreift auch die Gestaltung des ganzen Liedes, insofern man demselben fünf oder sechs oder sieben Strophen zu geben pflegt: aber mit Strenge verfolgt und durchgeführt wird diese Richtung nicht. Anders in der altfranzœsischen Kunstlyrik. Hier erhebt die Dreitheiligkeit sich zum festen Gebrauche, den man nur selten verlæfst: Dreitheiligkeit einmal der Strophe, wobei etwa, damit der Abgesang doch nicht ganz von den beiden Stollen getrennt sei, dessen erste Zeile mit dem Schlufse dieser gebunden wird (14. 25. 41. 43); Dreitheiligkeit dann auch des ganzen Liedes, bald nur beruhend in der Strophenzahl (drei Strophen 6. 9. 39. 42. 43. sechs 7. 13. 27. 35. sieben 48. 49. am häufigsten fünf: 4. 14. 24. 28. 30. 31. 33. 34. 36. 37. 40. 41. 47. 50), bald noch bestimmter hervorgehoben durch die Reimverbindung je zweier Strophen: so bei fünfen (2 + 2 + 1) Nr. 15. 16. 17 *); bei sechsen (2 + 2 + 2) Nr. 8. 10. 22. 23. 29; am einfachsten jedoch bei dreien Nr. 44, wo das Reimverhältniss der Strophen (2 + 1) dem der Strophenglieder zunæchst liegt.**) In zwei Liedern hat der Schrei-

---

*) Schluss und Beginn der getrennten Glieder sind hier zugleich durch Wortaufnahme und Reimanklang wieder so verkettet wie anderswo (S. 171 fg.) einzelne Strophen: *aloiaul amin : Loiauls amis; fe bien non : Chanfon.*

**) In dem dreistrophigen Liede 42 theilen die zwei ersten Strophen wenigstens den Reim des Abgesanges, und die dritte nimmt einen Reim der zweiten auf, ähnlich wie innerhalb einer Strophe der Abgesang den Schlussreim der Stollen.

ber durch Versetzung und Auslaſsung die Symmetrie der Strophenbünde gestœrt: es sind dieſs Nr. 12 und 25; in Nr. 18 dagegen (3 + 2) kann der Fehler nur vom Dichter selbst herrühren. Also Dreitheiligkeit auch im Bau des ganzen Liedes: zweitheilige Lieder, Lieder von acht, von vier oder gar nur von zwei Strophen kommen selten und bloſs ausnahmsweise vor, und namentlich dabei mœgen auch Versehen der Schreiber mit im Spiele sein: nur zweistrophig ist Nr. 32, vierstrophig 20. 26. 38, achtstrophig 21; Nr. 5 hat zwei Reimsysteme von je drei Strophen, theilt sich mithin auch nur in Hälften.

Das Geleit, das der provenzalischen Lyrik so häufig und geläufig ist, begegnet in der französischen seltener, und doch wære gerade solch ein Zusatz besonders tauglich gewesen um den dritten Theil des Liedes ebenso den beiden ersten an Form und Ausdehnung ungleich zu machen, wie in der Strophe den zwei gleichen Theilen des Aufgesanges der Abgesang eben als dritter ungleicher folgt. Aber nur vier oder fünf unserer Lieder haben ein Geleit, Nr. 22. 23. 27? 34 und 35, und eigentlich nur in den zwei erstgenannten dient es der Architectur des Ganzen auf die bezeichnete Art, da nur in ihnen drei Reimsysteme von je zwei Strophen, ohne das Geleit also drei vollkommen gleiche Theile vorhanden sind. Anderswo wird der Inhalt des Geleites in eine ganze fertige Strophe gebracht: so in Nr. 4. 12. 13. 17. 33. Woher aber die Vernachlæſsigung dieses ansprechenden Dichtungsgliedes? Der Grund ist vorher schon angedeutet worden (S. 169): die Kunstlyrik der Franzosen stand meistens zu sehr auſserhalb des Lebens um so lebendiger Bezüge, wie das provenzalische Geleit sie giebt, fæhig und bedürftig zu sein.*)

---

*) Einen Zweifel der das ganze Formenwesen der franzœsischen Lyrik, insbesondre auch diesen Theil desselben berührt, wage ich

Aber doch nicht gänzlich aufserhalb des Lebens, aufserhalb der Nation. Den Zusammenhang mit der älteren National- und Kirchenpoesie des eigenen Landes hatte sie doch nicht gänzlich abgebrochen, und so blieb ihr auch ein Zusammenhang mit der gleichzeitigen Poesie des Volkes, es blieben Einwirkungen welche sie von dieser empfieng und auf diese übte. Und das waren zugleich die Verbindungswege auf welchen ihr an Frische, an Wärme, an Einfachheit, an Naivitæt ein Gehalt zuflofs, der auf dem Weg unnationaler Entlehnung nicht zu erreichen war. Auch das soll noch in Kürze besprochen werden.

Die ältere Nationalpoesie war auch in Frankreich wesentlich epischer Art; und ebenso die für das Laienvolk berechnete Poesie der Kirche. Dieser epische Grund zeigt sich noch in der Kunstdichtung mannigfach fortwirkend und treibend.

Am augenfälligsten bei Aidefroi dem Bastard (Nr. 1. 2), der nicht nur epische Stoffe, freilich nach Romanzenart von engerer Begrenzung, sondern auch diese mit mehr als einer Eigenheit des altepischen Vortrages behandelt: er erzählt im Præsens; er braucht den Alexandriner und den Decasyllabus, beides Formen der alten Helden-

---

nur in die Anmerkung zu bringen. Zwar ist bei den Liederdichtern immer von ihrem Singen die Rede und öfters von musicalischen Instrumenten die den Gesang begleiten (*herpe* und *rote* 50, 5); die sprichwörtlichen Ausdrücke *dire et chanteir, lire et chanteir* enthalten deutlich einen Gegensatz, verlangen also volle Auffassung des letzteren Wortes: und doch, haben die Lyriker wirklich immer gesungen? nicht oft bloss geschrieben und gelesen, schreiben und lesen lassen? Der Castellan von Couci (Michel 22, 1) sagt geradeswegs *James par moi n'iert leus vers ne lais;* ebenso im Prosaroman von Tristan *Pour ce soit ore mon lay leu* (nach Wolfs Lais 57 mit der Variante *eu*, was aber jedesfalls nicht s. v. a. *oui* bedeuten kann). Solch eine Hauptabweichung von dem echten Wesen der Lyrik würde vieles erklæren.

lieder *); er giebt, wenigstens im ersten Gedichte, den Strophen nur je einen Reim, wie auch die Absätze der Chansons de geste einreimig sind.

Auf eben jenem Grunde der Epik beruht auch die alterthümliche Objectivierung sonst lyrischer Lieder, wodurch dieselben dem Munde des Dichters entnommen und einem Weib in den Mund gelegt werden: Beispiele Nr. 6 und 33, das schœnste aber Nr. 4, ein Taglied nach Art der provenzalischen Albas.

Auf eben demselben die oft vorkommenden epischen Bezüge, Anspielungen auf Namen und Ereignisse der Sagendichtung, Bilder und Anschauungen mythisch-sagenhafter Art. Vgl. Roland und Ganelon 20, 3, 10; Isangrin (als Höllenwolf) 40, 5, 12; Merlin 40, 5, 7; Tristan und sein und Isoldens Liebestrunk 10, 4. 13, 6. 33, 5; Pyramus und Thisbe 6, 3 **); Vespasian der je dreifsig Juden um einen Pfennig verkauft 41, 5; das Glücksrad 30, 5; das Efsen des Herzens (Beziehung zugleich auf das Herzefsen der Hexen und auf Sagen wie die von Goron, Ignaures und dem Castellan von Couci) 30, 4; das schlafende Leid 6, 1, 5; Himmel und Meer als Pergament und Tinte 40, 5.***)

---

*) Der Decasyllabus ist eine gemeinromanische Form: das älteste franzœsische Gedicht hat ihn wie das älteste provenzalische. Der Alexandriner dagegen (eine Fortbildung des lateinischen *faturnius?*) gehœrt den Franzosen: erst von ihnen aus ist er zu den Provenzalen gelangt, die ihn auch nur selten, etwa in didactischen Gedichten, kaum in der Lyrik gebrauchen. Er war zu schmucklos für letztere Verwendung: Sordel beginnt die Alexandrinerstrophen seiner Todtenklage um Blacatz (Raynouard 4, 67) *Planher vuelh en Blacatz en aqueft leugier fo.*

**) Kein gelehrtes Citat: die Geschichte des Pyramus war durch Poesie und bildende Kunst das Eigenthum Aller.

***) lies næmlich *meir* statt *terre*. Um von vielen Stellen ähnlicher Art nur eine noch ungedruckte deutsche und eine lateinische zu vergleichen, in einer Erzählung Johanns von Freiberg heisst es

Was hier aber vorzüglich in Betracht kommt ist die Aufnahme des Lais, einer entschieden franzœsischen Form altepischen Nationalgesanges, unter die Formen der neuen Lyrik, seine Fortbildung zu lyrischem Gehalt und dem entsprechend auch zu grœfserer Künstlichkeit der metrischen Gestaltung. Solch ein Lai, eine Reihe von Strophen die beinah alle zweitheilig, aber nicht alle einander gleich gebaut sind, da sie innerhalb einer ungefähren Ähnlichkeit mit trochæischem und jambischem Rhythmus und verschiedener Zahl und Sylbenzahl der Verse wechseln, und theils nur einen, theils überschlagend zwei Reime haben: solch ein lyrischer Lai also ist Nr. 11 unserer Sammlung. Ein lyrisches Gedicht: aber mit epischer Objectivierung wird angenommen dafs es Tristan singe; ja die Rubrik des Schreibers macht diesen selbst zum Verfafser. Die Situation ist jene, die von Marie de France in einem epischen Lai, ihrem Lai du Chevrefoil, ausführlich erzählt wird; wie auch sie berichtet, hatte Tristan auf diefs Abenteuer einen Lai in die Harfe gesungen, und die Sage nannte denselben kurzweg *Chevrefoil.*

Pur la joie quil ot eue
de famie quil ot veue,
e pur ceo kil aveit efcrit
fi cum la reine lot dit,
pur les paroles remembrer
Triftram, ki bien faveit harper,
en aveit fet un nuvel lai.

(cod. pal. 341 fol. 356 d) *und wære daz mer tinte und der himel perminte, und alle sterne dar an, beide funne unde mân, gras griez unde loup, dar zuo der kleine funnen ftoup, daz daz wæren fchribære, den wære ez allen ze fwære, daz fi volfchriben und vollefen kunden wie fanfte mir ift gewefen;* und bei Henricus Septimellensis 1, 237 (Leyser 464) *Pagina fit cælum, fint frondes fcriba, fit unda incauftum, mala non noftra referre queant.*

asez brevement le numerai:
Gotelef lapelent en Engleis,
*Chevrefoil le nument en Franceis.**)

Die Provenzalen scheinen die Form des Lais nur dem Namen nach gekannt zu haben; und haben sie auch die Sache selbst gekannt und geübt, so hat sich hier einmal das sonst bestehende Verhältniss umgekehrt und die Franzosen sind die Lehrmeister der Provenzalen gewesen: hier einmal sind die Franzosen selbständig, und sitzen in selbsterworbenem selbstgeschaffenem Eigenthum.

Aufser der ganzen Form des Lais ist noch eine vereinzelte Eigenthümlichkeit desselben in die Kunstlyrik übergegangen. Wenn næmlich, was in Romanzen und Liedern öfters vorkommt, der letzten Strophe oder gar den letzten mit Beibehaltung allerdings des Grundtons eine grœfsere Ausdehnung gegeben, zum Beispiel der Abgesang verdoppelt oder sonst erweitert wird (1, 13 fgg. 8. 27. 47. 49. 50), so leitet man das wohl am füglichsten auf das Vorbild jener alterthümlich einfachen Lais zurück, die nur etwa einen Wechsel im Mafs der Strophen, aber noch keinen im Mafs und im Rhythmus der einzelnen Verse und in der Stellung der Reime sich gestatteten. Der Unterschied ist nur dafs im Lai diese Erweiterung an jedem beliebigen Orte gilt, die Kunstlyrik aber sich damit auf den Schlufs einschränkt; Nr. 4 hat eine solche schon in der dritten Strophe: es mag das ein Fehler sein. Eben hier liegt der Ursprung des Geleites: auch diefs ja nimmt den letzten Tonsatz zu nochmaliger Widerholung auf.

---

*) Vgl. im Anfang des Roman du Renart *de Tristram qui la chievre fist, qui assez belement en dist.* Wohl eben darauf sich beziehend Gottfried 19205 *er vant ouch ze der selben zit den edelen leich Tristanden, den man in allen landen sô lieben und sô werden hât die wile und disiu werlt gestât.* Auch den Provenzalen war der *lais del cabrefoil* bekannt: Raynouard, Lex. Rom. 1, 8.

Neben dem Lai hat die Kunstlyrik auch die Sequenz sich angeeignet, eine Form der Kirchenpoesie die zu jener nationalen in der engsten verwandtschaftlichen Beziehung steht. Auch hier eine Mischung verschiedenartiger Strophen, und die Strophen meist zweitheilig: aber alles geht in kürzeren Maſsen, schnellerem mehr in die Ohren fallendem Wechsel, und innerhalb eines und desselben Absatzes schon können die Rhythmen ungleich sein: daher der franzœsische Name *descort* (46, 7, 5. 9, 1) d. h. *discors*. Und was eine unterscheidende Eigenheit auch des Inhaltes ist, seinem Ursprunge gemæſs behandelt das Descort zuvörderst religiœse Stoffe: dem Lai stehn solche nur in zweiter Linie zu; dann aber wird es gleich dem Lai auch in den Minnegesang übertragen. Beispiele beider Arten Nr. 45 und 46. Form und Name der Descorts sind den Provenzalen gleichfalls bekannt: ich weiſs jedoch nicht ob die Franzosen viel mehr als etwa bloſs den Namen von ihnen zu lernen brauchten: das eigentliche Muster war ja die Sequenz des lateinischen Kirchengesangs, und dieses Muster lag den Franzosen selbst unmittelbar und tæglich vor.

Die Volkspoesie, um jezt auch von der und ihrem Verhältniss zur Kunstlyrik zu sprechen, die Volkspoesie, die als organische Fortsetzung auf den älteren Nationalgesang folgte, muſste dieser ihrer geschichtlichen Stellung gemæſs epische und lyrische Elemente, epischen Stoff mit lyrischer Färbung in sich vereinigen. Und sie entwickelte sich alsbald in solcher Fülle, in grœſserer vielleicht als die Kunstlyrik, daſs schon daraus auf beides zu schlieſsen ist, auf Befruchtung die sie letzterer zugeführt, und auf Einfluſs den sie selbst von daher empfangen habe. Wirklich fehlt es auch nicht an Beispielen wo unverkennbarste Volksmæſsigkeit sich gleichwohl berührt zeigt von der Kunst und den Feinheiten der hœheren Dichtung: solcher Art sind bei uns Nr. 3. 50. 51. 52: vor andern Merkmalen hebe ich nur hervor wie das erste ein hœfisches *Chansonnete vai ten* versucht, und wie in allen vieren der Alexandriner theils durch einen Cæsurreim gebrochen *), theils durch noch weiter gehende Änderung in neue Versarten umgebildet ist.

Häufiger noch læſst sich das umgekehrte Verhältniss belegen, Einwirkung der Poesie des Volkes auf die der Hœfe.

Volksmæſsig ist hier zuvörderst der Refrain **) in erzählenden wie in lyrischen Dichtungen: Nr. 1. 2. 4. 6. 12. 21. 22. 37. 47. 48. 50. Zwar ist derselbe schon dem älteren National- und Kirchengesang eigen, und nur daher hat ihn das Volkslied: dennoch möchte ich sein Vorkommen auch bei den Kunstdichtern nicht weiter her leiten als aus dem Beispiel der gleichzeitigen Volkspoesie. Einmal wegen des deutlichen Bezugs auf letztere, wenn in Nr. 48 Verse eines Volksliedes als Refrain und eben solche in Nr. 30 wenigstens anstatt eines Refrains verwendet werden. Dann und hauptsächlich weil ja die Kunstlyrik den Refrain des National- und Kirchengesanges bereits in sich aufgenommen und nach ihrer Art, für ihr Bedürfniss umgebildet hatte: das dritte ungleiche Strophenglied das sie den zwei gleichen hinzufügt ist schwerlich etwas andres als einst im Lai der Refrain hinter den zwei gleichen

---

*) Solche Cæsurreime in Alexandrinern auch 1, 11; im epischen Decasyllabus liebt sie der Verfasser des Gerard de Viane.

**) von *refraindre: en sa pipe refraignoit la voix de sa chanson* 40, 1 (denn sie ist allein, und niemand bei ihr der den Refrain singen könnte). Wenn *refran* im Spanischen den Sinn von Sprichwort angenommen hat, so erinnert diess daran, wie im Griechischen umgekehrt παροιμιακός von παροιμία kommt. Der vermittelnde Begriff ist beidemal der der Widerholung. In altfr. und englischen Gedichten wirklich auch Sprichwörter als Refrain: Wolf über die Lais 207 fg.

Gliedern.*) Noch in dem volksmæſsigen Liede Nr. 50 fallen Refrain und dritter Theil in eins zusammen.

Es werden also in Nr. 30 den einzelnen Strophen nach Refrainsart Stücke von Volksliedern angehängt. Wenn Ähnliches in Romanen und Fabliaux geschieht, wenn da ganze Gedichte oder ganze groſse Gedichtstellen durchflochten sind mit dergleichen Citaten**), so freut man sich dieser Bereicherung unsrer Litteraturkenntniss, aber es fällt da weniger auf, weil solche Gedichte und solche Dichter dem Volk überhaupt næher standen: bedeutender ist es, dasselbe Spiel nun auch in der Lyrik und somit einen Beweis zu finden daſs wenigstens hie und da die Hofsänger nicht verschmæhen mochten was in Feld und Wald, auf Markt und Straſsen die Sänger des Volkes gefunden hatten. Wie anders wenn provenzalische Dichter die einzelnen Strophen einer Canzone mit entlehnten Versen namhafter Kunstgenoſsen schmückten!

Ihren Hauptplatz jedoch haben jene Liedercitate in der Pastourelle (Nr. 48. 49). Natürlich. Die ganze Dichtart ist ja dem niederen Leben entnommen, sowohl dem

---

*) Wohl ebendaher bei Provenzalen und Franzosen die kürzeren reimlosen Verse die namentlich in epischen Gedichten gern an den Schluss der einreimigen Absätze gehängt werden, viersylbige in einer Epistel Rambauts de Vaqueiras Rayn. 2, 260 fgg., fünfsylbige in Aucasin und Nicolete, sechssylbige im Leben des heil. Amandus Rayn. 2, 152 fgg., siebensylbige im Gerard de Viane.

**) vgl. Renart le nouvel, Roman de la Violette S. 6 fgg. und die Fabliaux bei Barbazan und Méon 3, 106 fgg. (108 *En un vergier lez une fontenelle* Anfang einer bei P. Paris 37 fg. vollständig gedruckten Romanze). 136 fgg. 369 fgg. Am merkenswerthesten das letzte Beispiel, *la Chaſtelaine de S. Gille*, weil in diesem strophischen Gedicht die Liedercitate auch noch zur Verkettung der einzelnen Absätze benützt werden eben wie bei uns in Nr. 30 und in einer Pastourelle Jean Errars bei De la Borde 2, 187 fg. Vgl. oben S. 171 fg.

Stoffe nach, freilich nur indem sie Personen hœheren Standes, die Dichter selbst, in Berührung mit Schæferinnen und Schæfern zeigt, als sicherlich auch in manchem was Sache der Form ist. Gleich der Gebrauch die Pastourellen fast durchweg mit *Lautrier me chevalchoie* udgl. anzufangen (S. 109. 113) und den hintangesetzten Freund des Mædchens immer *Robin* zu nennen giebt ihnen etwas von der epischen Ständigkeit der Volkspoesie. Die Strophen sind gewöhnlich lang gezogen; dazu ein schnell springender Wechsel kürzerer Verse: das Volk mochte ähnliche Lieder zu seinen Reigentänzen singen. Vorher ist behauptet worden, der Lai sei von Frankreich aus in die provenzalische Poesie gelangt: das gleiche wird von der Pastourelle gelten, die in der Provence ebenso jung und verhältnissmæfsig selten ist als in Frankreich alt und häufig; manche Dichter hier haben sich ganz nur auf sie beschränkt. Und sie hauptsächlich bezeichnet den Zusammenhang der franzœsischen Kunstlyrik mit dem Volksliede, wie der Lai den mit dem alten Nationalgesang.

Aber noch mehr Dichtarten scheinen volksmæfsigen Ursprung zu haben. So das Speiselied (Nr. 47) das sich an Herbstgesänge des Landvolkes anlehnen mag wie spæterhin die Vaux-de-vire Olivier Basselins; und die Retrowange (42, 1) die denk'ich ein Tanzlied war. Wenigstens in Deutschland kommt der *ridewanz* unter anderen welschen Tänzen vor, und auch der Name passt dafür ganz wohl, falls næmlich die provenzalische Form *retroensa* die eigentlich richtige und diefs aus lat. *retroientia* entstanden ist.*)

*) Die altfr. Nebenformen mit o, *rotruenge* und so fort in allerlei Entstellungen, enthalten bloss eine Verdumpfung des unbetonten Vocals (oben S. 144) und brauchen nicht grade auf das Spiel der *rote* hinzuweisen.

Endlich noch ein Umstand der zugleich die Verbreitung der hœfischen Lieder auch in weitere Kreise und für einzelne Dichter die Absicht verbürgt dafs ihr Gesang solche Verbreitung finde. War die Retrowange ein Tanzlied, so konnte doch jenes Lied Jacobs von Cambrai das sich als eine neue und gute und schœne Retrowange ankündigt (Nr. 42) nicht für den Tanz bestimmt sein: denn es hat geistlichen Inhalt, ist ein Marienlied. Also geistliche Parodie einer weltlichen Form, vielleicht sogar einer bestimmten einzelnen Retrowange. Und das kommt in der altfranzœsischen Lyrik, namentlich bei eben diesem Dichter noch öfter vor: vgl. das Lied Nr. 43 welches *ou chant* d. h. in der Liedweise Kœnig Theobalds Nr. 25 gesungen ist, Nr. 44 und S. 97 *); auch Nr. 40 und 41 deuten mit ihrem Anfang auf parodierte Minnelieder zurück, oder parodieren doch den Ton des Minneliedes. Solch ein Verfahren und dessen häufige Wiederkehr waren aber nur mœglich und hatten dann nur Sinn, wenn die Originale und ihre Weisen in Aller Munde giengen: nur dann durfte man beabsichtigen und konnte man hoffen dafs man in einen rechten Besitzstand eintreten und dafs nun auch die geistliche Umdichtung in den Mund Vieler gelangen werde. Die Beispiele unsrer Sammlung sind übrigens nicht die einzigen **): ich will denselben noch einige Belege aus einer Neuenburger Papierhandschrift des 15 Jahrh. beifügen, die zuerst eine lange Reihe geistlicher Fabliaux (auch das schon dem Sinne nach Parodien) und dann auf den letzten Blättern allerlei geistliche Lieder enthält, jene

---

*) der *chant de lunicorne* folgt einem Liede Peters von Gent *Ausi* (l. *Ansi*) *com lunicorne suis* S. 100.

**) In einer Handschrift des 13 Jh. zu Lille lateinische Lieder geistlichen Inhalts auf die Singweisen französischer Minne- und Tanz- und Schœferlieder: s. Mones Anzeiger 7, 550; bei Wolf über die Lais S. 128. 475 fg. ein *Cantus de Domina post cantum Aaliz.*

Gedichte wie diese eben nicht in bester Beschaffenheit des Textes. Hier nun spricht erstlich eine vereinzelte Strophe jenen Gegensatz der Gesinnung aus, der überhaupt zu solcher Um- und Nachdichtung den Anlafs gab. Sie lautet entstellt genug

Qui que faice rotruenge
Nouuelle paftourelle
Son fonet ne chancon
Je chantera de la pucelle
En cui fainz ftanz
Le filz deuint homs
Jl meft auix quant jela nom
Toute doucour degoute defon nom
Je ne vuil maiz chanter fe deli non
Ne dautre dame ne dautre damoifelle
Ne fera maiz fe dieu plait dit ne fon

Ferner ein Marienlied das dem Minnegesang des Hofes den grammatischen Reim nachahmt (vgl. Nr. 28 und oben S. 172), vielleicht auch grade bei dieser Reimabwandelung ein bestimmtes Minnelied vor Augen hat.

Porte du ciel pucelle de grant prix
Combein fu nez qui taimme et fert et prife
Atoy feruir ceft toft aers et prix
Qui ta doucour douce dame aprife
Qui de tamour flour deprix eft efprix
Toutez amour toft defdaingne et defprife
Qui bien te fert pucelle bien aprife
Jay demort niert engigniez ne fofprix
  Dame tant fuz par penfee et parfaix
Efmeree nette et pure et parfaite
Que de ta char voult le roi eftre faiz
Qui de neant toute choufe auoit faite
Dame par cui eftain fu li meffaiz

Queue auoit fait qui trop estoit messaite
Par ta doucour aton doulz filz masaite
Dez grant pechiez don uers lui suiz messaiz

Und drittens noch ein Marienlied, mit dem Eingang, mit dem Refrain, in der ganzen characteristischen Form der Pastourelle: aber der Dichter will lieber von Marien als von Marietten singen.

Hui matin ala journee
Toute membleure
Cheuacha par vne pree
Par bonne auenture
Vne florette ay trouuee
Gente desaiture
En laflour qui tant magree
Tourna luez macure
Adont fix vers jusqua vi
Delaflour deparadix
Chanscun lo qui laim et lot
O. v. matel dorenlot
Por voir tout a .j. mot
Saiche qui mot mar voit malot
Qui lait marie pour maiot
Qui que chant de mariette
Je chantera de marie
Chascun an li doy par debte
Vne rauerdie
Cest laflour laviolete
La rose espanie
Qui toute odour donne et grette
Tous nous rassazie
Haute odour suz toute flour
A la mere au haut signour
Chascun lo

Haut rubiz de roberdellez
Chantelise dez sauterellez
Maiz tu cler qui chantez
De lez certez. tu rassotez
Lassonz ces viez pastourellez
Cez vielles riotes
Chantonz chansonz nouuelles
Biaulz diz et bellez notes
Delaflour don senz seiour
Chántent liangez nuit et jour
Chascun lo
Lassonz tuit lesol vsaige
Damour qui folie
Souuent paient le musage
Qui trop y colie
Amonz labelle et la saige
La douce lacoie
Qui tant est defranc couraiche
Nullui nesanoie
En appert se dampne
Qui ne laimme honeure et sert
Chascun lo
Amonz tut lafresche rose
Laflour espanie
En cui saint esprit repose
Nya telle amie
Cellui qui laimme et alose
Nentroblie mie
Ainz li donne alaparclouse
Pardurable vie
Le pourprix du ciel ayprix
Qui de samour est esprix
Chascun lo

Qui alafin prist la royne
La dame du monde
Qui est la doinx la pecine
Qui tout cure et monde
Quelle lait mame orphenie
Mame orde et immunde
Sy qualafin soit bien fine
Bien pure et bien monde
Et nous tous desay dosoubz
Doingt mener ou paiis doulz
Chascun lo.

Haben wir bisher besprochen welche Nachwirkung der ältere Nationalgesang, welche Einwirkung die gleichzeitige Volkspoesie auf die Kunstlyrik der Franzosen geübt habe, so bleiben noch einige Punkte zu erwähnen wo beide zugleich ihren Einflufs geltend machen. Es sind das verschiedene Freiheiten und Nachlæfsigkeiten in der Behandlung von Vers und Reim.

Im Allgemeinen zwar wird streng auf die jedesmal erforderliche Sylbenzahl gehalten: ausnahmsweise jedoch læfst man die erste Senkung eines eigentlich jambischen Verses weg: 6, 1, 5. 6. oder schlægt einem trochæischen noch eine Sylbe vor: 33, 1, 6. 4, 8. 36, 5, 4. 48, 1, 6; und erlaubt sich, diefs am häufigsten, in jambischen Decasyllaben und Hendecasyllaben eine weibliche Cæsur vor nachfolgender Senkung, wodurch der Decasyllabus zum Hendecasyllabus wird: 2, 7, 3. 20, 3, 4. 22. 24, 1, 7 und 3, 1. 26, 2, 5. 27, 5, 5. 29, 5, 3. 38, 2, 5 und 7. der Hendecasyllabus zum Dodecasyllabus: 27, 2, 8.*) Nach

*) In Versen wie *ke la belle fut a signor tramise* 2, 3, 2. 8, 3. 9, 2 vereinigen sich beide Freiheiten, die Weglassung der ersten und die Einschaltung einer überzähligen Senkung.

provenzalischer Art ist das nicht *), aber nach Art des altfranzœsischen Nationalepos. Ebenso und ebendaher die weibliche Cæsur der Alexandriner: 1, 13, 4. 15, 1. 2. 16, 4. 6.

Die Provenzalen gestatten sich keinen ungenauen Reim: unter den Franzosen sind kaum die geübtesten und gerühmtesten Kunstdichter ganz frei von Fehlern dieser Art, trotz dem dafs sie die Last der gehäuften Reime nicht auf sich genommen haben (S. 171). Also nicht selten Reime die mehr nur Assonanzen sind, wie der noch unkünstlerische Nationalgesang sie hat und (vgl. 3, 4. 5 und 52) das kunstlose Volkslied: z. B. Nr. 4. 13. 23. 24. 25. 30. 34. 48. 49; ja Aidefrois bindet, gleich der Chanson de Roland, in unmittelbarer Zeilenfolge weiblichen und männlichen Versausgang 2, 7.

Eh wir jedoch vollends diesen Excurs beschliefsen können, sind noch die geographischen Grenzen in Betracht zu ziehn inner denen die Kunstlyrik der Franzosen sich entwickelte und fortbestand. Denn auch das bezeichnet ihr Verhältniss zu der übrigen Litteratur und stellt ihre Unnationalitæt, diesen Hauptsatz unsrer geschichtlichen Erörterungen, aufs neue in den Vordergrund: während die Epik gemeinsames Werk und Eigenthum aller Franzosen war, und dafür jede Landschaft ihre Meister aufzuweisen vermochte, schränkte die Lyrik sich beinah gänzlich auf zwei Provinzen ein, Flandern und die Champagne.**)

---

*) næmlich nicht nach Art der provenzalischen Kunstdichtung, die hier allein in Betracht kommt: im Boethius und sonst im 10 und 11 Jahrh. wandelt noch die Grundform des Decasyllabus auf und ab zwischen männlicher und weiblicher Cæsur, jambischem und trochæischem Rhythmus, neun und zehn Sylben.

**) Beide Namen in dem weiteren Sinne verstanden, in welchem zu Flandern auch noch Artois, zur Champagne noch Brie und Senonais gehœren.

Durchgehn wir die Dichterverzeichnisse, die meisten kenntlicher angegebenen und fast alle berühmteren Namen fallen mit Bestimmtheit dem oder jenem der beiden Länder zu: nach Flandern gehœren Adam der Bucklichte, Aidefroi der Bastard, Carasaus, Hugo der Castellan, Jaikemin von Lavante der Clerc, Johann Bodel, Johann Moniot oder Moiniet, Johann der Färber, Johann der Zimmermann, Robert oder Robin du Chastel der Clerc, Sauvage, Vilain, alle zwölf von Arras *), Gillebert von Berneville, Kuno und sein Bruder Wilhelm der Vogt *(li voieis)* und Sauvage von Bethune **), Gerhard von Boulogne, Jocelin von Brügge, Colin Pansate *(pansars?)*, Jacob, Martin der Begine, Rogeret und Roix, alle fünf von Cambrai, Hugo von Oisi Castellan eben dieser Stadt, Peter von Douai, Peter und Matthæus der Clerc von Gent, Jean Fremant und Marie und Peter der Einäugige Seckelmeister von Lille, Blondel von Neelle, und Jean de la Fontaine von Tournai; in die Champagne Theobald von Blazon, Simonin von Boncourt, der Graf von Chalons, Gaises, Robert Marberoles, Guiot von Provins, la Chievre, Eustachius der Maler, Gobin und Robert, alle vier von Reims, Auboin von Sézanne, Jacob und Radolf und Dietrich von Soissons, Christian und Doete von Troyes, endlich Graf Theobald Kœnig von Navarra. Und wie der um 1174 geschriebene Tractatus Amoris des Capellans Andreas die meisten Urtheile in Liebessachen ***) auf eine Græfinn von

---

*) Welche Gunst man auch in dieser Stadt den Dichtern erwies zeigen die Abschiede Baude Fastouls und Jean Bodels bei Barbazan und Méon 1, 111 fgg. 135 fgg. Ersterer nennt unter seinen Gönnern *Sire Audefroi*, *deus fix segneur Audefroi*, *Jaquemon le Clerc* und *Jehan Bodel*.

**) in Jean Bodels eben angeführtem Abschied eine *avoeresse de Betune* zu Arras.

***) *Jugemans damors* als Gedichtthema oben S. 95. 100.

Champagne und eine von Flandern zurückführt, næchst diesen nur noch auf die liebesberühmte Eleonore von England (vgl. oben S. 166), so hatten auch die namhaftesten jener poetischen Gerichtshœfe, von denen eingereichte Lieder beurtheilt und die gut befundenen gekrœnt wurden (ein Institut übrigens von noch nicht genugsam erforschter Einrichtung und Bedeutung), ihre Sitzungsbühnen gleichfalls wieder in einer flandrischen und einer benachbarten Stadt des Hennegaus, zu Arras und zu Valenciennes; auch in unsrer Handschrift ein zu Arras gekrœntes Lied, oben S. 99.*) Rechnet man dazu dafs Flandern und Champagne die andren Dichtungsarten deshalb wahrlich nicht vernachlæfsigten; dafs in Flandern die Litteratur des Fuchses Reinhard ganz eigentlich daheim, dafs Christian von Troyes zugleich der vorzüglichste Træger der ritterlichen Epopœie, Guiot von Provins auch noch Epiker und Didactiker **), Jean Bodel von Arras einer der ersten Begründer des franzœsischen Schauspieles war; dafs wir einem flandrischen Kloster das älteste Denkmal aller und jeder franzœsischen Poesie, die heil. Eulalia, verdanken: so dürfte eher wohl

---

*) lies *corenee a Arez;* zu ergänzen *chanson* wie in der Überschrift von Nr. 21.

**) Guiot von Provins ein Epiker: denn nun, wo ausser der Bibel auch eine ganze Reihe von Liedern dieses Namens vorliegt (13—18) gewinnt es für mich neue Wahrscheinlichkeit, dass jener *Kyôt der Provenzâl, Kyôt la schantiure,* den Wolfram von Eschenbach als den franzœsischen Gewährsmann seines Parzival nennt (416. 827) allerdings einer und derselbe sei mit Guiot von Provins. Der Parzival Guiots ist noch nicht wieder aufgefunden: er muss eine Umarbeitung des von Christian von Troyes gedichteten gewesen sein, da Wolfram, welcher behauptet sich an Guiot zu halten, doch ganze lange Stellen hindurch beinahe wörtlich mit Christian übereinstimmt; dem widerspricht es nicht, ja es passt dazu aufs beste, dass Guiot die Darstellung Christians getadelt hat, sie thue *dem mære unreht* (Wolfr. Parz. 827).

hieher der Angelpunkt der altfranzœsichen Litteraturgeschichte zu verlegen sein als mit Einseitigkeit blofs nach Paris und in die Normandie.*) Es traf aber auch in beiden Ländern alles zusammen wodurch eine Poesie der Art, wie das Leben des Mittelalters sie bedingte, gerade hier zur vollsten Blüte mufste gebracht werden: auf grünbewaldeten Hügeln wohnend ein zahlreicher Adel, geneigt und geschickt zu allen Künsten des Ritterthumes; in grofsen Städten eine Bürgerschaft die an Reichthum es dem Adel zuvorthat, an Stolz und Wehrhaftigkeit mit ihm wetteiferte; in Flandern die schœnsten Weiber **), und überall zu Stadt und Land eine grofse Menge des Volkes, das man zu den mancherlei Dienstleistungen der *jonglerie* brauchen konnte: die *ribauds* und *ribaudes* von Troyes und Soissons waren sprichwörtlich wie die *chanteurs* von Sens.**)

---

*) Bemerkenswerth nennt ein Karlingisches Epos unter den Sprachen die ein Bote des Heidenkœnigs Marsilies versteht (Massmanns Eraclius S. 562) zuerst die Flamländische, dann die Franzœsische d. h. die der Isle de France, die Normannische u. s. f. *Bien favent fuit et Flamence et François, Normant, Breton, Hainuier* (Hennegauisch) *et Tiois.*

**) Le Grand und Roquefort, Vie privée d. François 3, 405.

V.

Ich komme zu einer Frage deren Anregung und Lœsung mir ein Hauptzweck dieser ganzen Arbeit ist: ob næmlich gleich der Epik auch die Lyrik des deutschen Mittelalters unter franzœsischem Einflufs sich entwickelt habe? Ich stelle die Frage auf um sie zu bejahen.

Das Turnierwesen das schon vor Ablauf des eilften Jahrhunderts seine Ausbildung in Frankreich erhalten hatte und stæts von da an seine beste Pflege bei Franzosen und Niederländern fand *); die Kreuzzüge die zuerst von eben daher ausgegangen waren und länger da als irgendwo anders eine Sache begeisterungsvoller Thætigkeit blieben: diefs beides hatte mit dem zwölften Jahrhundert das franzœsisch-niederländische an die Spitze alles Ritterthumes erhoben, und in Verein mit dem Aufschwung reichbevölkerter reichbegüterter Städte den Länderverband welchen die Maas durchstrœmt für die Länder und Völker ringsumher zum pochenden Herzen eines neuen Lebens gemacht. Von da an stund namentlich auch Deutschland gegen den Nordwesten hin Einflüfsen der mannigfachsten Art weit geöffnet, Einflüfsen die nicht blofs die hœheren Stände berührten, die weit über diese hinaus bis zu den untersten Stufen der Nation gelangten. Wie die Niederlande selbst den Bauern

---

*) vgl. die Stelle aus der Heidelb. HS. der Krone Heinrichs v. d. Thürlein bei Wolf über die Lais S. 432. Hartm. Greg. 1403 fg. Ulr. Lanzelet 9177.

in Oesterreich Stoffe zu ihren üppigen Kleidern lieferten *), so meinten auch bis nach Oesterreich hin Hoch und Nieder am zierlichsten zu sprechen, wenn sie gelegentlich «flæmten», und ein Flæming war ihnen ein Mensch von feiner Rede und Bildung.**)

Aber man schränkte sich eben nicht auf das Flæmen ein, das wenn auch nicht hochdeutsch, immer noch deutsch gewesen wære. In den Maasländern selbst giengen Deutsch und Franzœsisch durch einander, da lief und verschwamm die Grenze der zwei Sprachgebiete, und viele brauchten gleichmæſsig beiderlei Zunge; wie z. B. die Urspergische Chronik von Gottfried von Bouillon erzählt «*Noſtræ gentis milites præ cunctis bellatoribus honoravit, feritatemque illorum ſuaviſſima urbanitate Gallicis caballariis commendans, invidiam quæ inter utrosque naturaliter quodammodo verſatur per innatam ſibi utriusque linguæ peritiam mitigavit*; in welcher Art auch characteristisch genug die auf S. 184 erwähnte Neuenburger Handschrift mit zwei halb niederländischen, halb lateinisch-franzœsischen Versen schlieſst:

Ego amo vos bouen allen die leuen
quant il voux plara ſuldy my troſt geuen.

Und so griff nach solchem Vorgang und durch solche Vermittelung auch das übrige Deutschland gleich in das vollste franzœsische Wesen hinein, und holte sich von daher Muster des Lebens, der Sprache, der Kunst, wie eben daher, von der hohen Schule zu Paris, die Geistlichkeit

---

*) Gent: Helbling 2, 77; Ypern: Nithart Ben. 52, 10? u. a.

**) *vlæmen* Nith. Ben. 6, 7. *vlæminc* Nith. vdHag. 2, 114 b. Gellar 173 a. Der junge Helmbrecht redet Schwester und Vater an, als ob er in Brabant gewachsen wære, 717. 764. Bei hœfischen Dichtern besonders deminutive Wortbildungen nach flæmischer Art: *pardriſekin* Parz. 131, 28. *ſchapellekin* Gottfr. *bluemikin* Frauend. 244. 568. *merlikin* vdHag. 1, 118 b., *ſol ich noch min kint Willekin vor mime tôde ſchouwen?* Ulr. v. d. Türl. Wilh. 107 a.

gewohnt war ihr theologisches Wifsen zu holen (vgl. Haupts Zeitschr. 4, 496). Zwar hielt man in Frankreich, selbst im franzœsischen Flandern nicht viel auf die Deutschen: sie gallen da für roh und tölpelhaft (Jac. Grimm, Reinh. LXXIX). Aber das stœrte nicht, und durfte nicht stœren. Man eignete sich doch von jenseit der Maas mit der Gelehrsamkeit der Kirche auch den kirchlichen Baustil an den wir jezt gothisch oder deutsch oder germanisch nennen; und Ritter und Bauern kleideten sich vorzugsweis in franzœsische Stoffe und so auch meist nach franzœsischem Schnitt *); und Ritter und Bauern tanzten franzœsische Tänze, traten also den Tanz und sprangen den Reihen auch nach Melodien die aus Frankreich kamen **); und der Name eines *Wâleis* empfahl in die Liebe selbst der Bauerdirnen (vdHag. 2, 173 b).

Was jedoch eine Hauptsache war und Folge einer Hauptsache, das waren auf Anlafs der franzœsischen Formen des Ritterthums die franzœsischen Formen des hœfischen Lebens überhaupt und mit ihm der hœfischen Rede. Gleich das Wort *hövisch* selbst und sein Gegensatz *törperlich* gaben in Begriff und Ausdruck nur die franzœsischen *courtois* und *vilain* wieder. Und: indem die ganze Kunstsprache der Turniere und sonst des Ritterwesens auch in Deutschland die franzœsische blieb ***), indem sich vornehme Herrn vielleicht wirklich mit Franzosen umgaben, damit ihre Kinder deren Sprache lernten †), gewöhnte

*) Die alten Zeugnamen sind fast alle, die Namen der Kleidungsstücke grœstentheils franzœsisch.

**) Die Namen der meisten alten Tänze sind deutlich franzœsischen Ursprungs, wennschon nicht alle gleich erklærbar: *fierlefei gimpelgampel göfenanz ridewanz heierleis treialtrei treirôs* u. a.

***) *turnei buhurt tjost poinder puneiz farjant garzûn crie, harnasch halsberc spaldenier hâr/enier vintâle zimier, ravit rabine walap leischieren covertiure* u. a.

†) Franzœsische Stellen in Massmanns Eraclius S. 562 fg.

man sich in jeglichem Verkehr die feinere Bildung die man besaſs oder vorgab durch zahlreich eingemischte franzœsische Worte und Phrasen zu bezeichnen.*) Leute geringeren Standes, die sich aber etwas dünkten, machten auch dieſs den Herren nach (vdHag. 2, 80 b. Helmbr. 726). Namentlich dergleichen doppelt unberufene Pralerei mag der Tannhäuser im Auge haben, wenn er in zweien seiner Gedichte (vdHag. 2, 84 fg. 87 fg.) mit unverkennbar bloſs parodierendem Spotte ein welsches Wort auf das andre häuft; in ähnlicher Art hat auch die Sprachmengerei Wolframs von Eschenbach mehr etwas übermüthiges und schalkhaft neckendes, als daſs er schœn damit thun will: er meint es eher wie jener Abt von Pegau, der hœfisch und höhnisch zugleich über einen Brief voll Widersetzlichkeit an seinen Bischof, den von Merseburg, die Worte schrieb «*Salt pur ſalt et una avant. Sunt autem hæc verba gallica, et ſic ſonant in latino: Salutem pro ſalute et unam plus.*» **) Aber den Rheinländern, die der Marner deshalb verspottet (vdHag. 2, 241 a), aber dem rheinischen Dichter Gottfried von Straſsburg war es ernst mit der fremden Zierlichkeit ***), und ihnen die den Franzosen næher wohnten zugleich natürlicher; wie nun gar Johann von Brabant es selbst kaum merken mochte, daſs er so manch franzœsisches Wort in den Mund nahm. Am Niederländischen

---

*) *daz enſprich ich dâ von niht, daz mir miſſevalle iht, ſwer ſtrîfelt ſîne tiuſche wol mit der welhiſchen ſam er ſol: wan dâ lernt ein tiutſche man der iht niht welhiſchen kan der ſpæhen wörter harte vil* Thomasin in der gereimten Vorrede zu seinem Welschen Gast. Am wohlfeilsten war der Gebrauch fremder Interjectionen wie *â ahî ei hei zahî ſî avoi oimê.*

**) Chron. Montis Sereni ad a. 1223 bei Mencken 2, 274.

***) bloss auf Einer Seite des Tristan, die mir zufällig offen liegt, erstlich ein ganzer franzœsischer Vers: *Curie? deus benie!* dann die Fremdworte *ſurke ſurkie cumpanie curſe*, endlich deutsche Worte mit fremder Endung *jägerîe teilieren.*

ist deren überhaupt eine Unzahl hangen geblieben, für immer und bis jezt: die hochdeutsche Sprache hat das meiste davon glücklich wieder ausgestofsen.

Es waren aber nicht allein buchstæblich beibehaltene Fremdworte die das zwölfte und das dreizehnte Jahrhundert schaarweis in Deutschland einführten: man ahmte auch mit deutschen Lauten, deutschen Worten franzœsische Worte und Wendungen nach, und solche Entlehnungen blieben dann nicht so wie jene blofs auf der Oberfläche der Sprache. Also Gallicismen im Deutschen. Freilich brauchts Vorsicht, eh man dergleichen annehme. Denn vieles was beiden Sprachen gemein ist haben sie gemein nicht durch Mittheilung aus der in jene, sondern weil beide eben moderne Sprachen sind *); andres, und wohl noch mehr, hat die franzœsische aus der deutschen empfangen **): ihr ganzer Geist und der Geist überhaupt aller romanischen Sprachen, wie er sich zumal im Satzbau zeigt,

---

*) Dahin gehœren z. B. die Umschreibung des Perfectums mit *habere* und dem Participium, die des Futurums mit *habere* und dem Infinitiv, die Auflœsung selbst der noch zuständigen einfacheren Verbalformen in *esse* und das partic. præs., die Ergänzung des Zeitworts *esse* mit dem Zeitwort *stare*, die doppelte und die sinnlich veranschaulichte Negation (22, 5, 4. 24, 3, 4. *pas*, *point*): Ausdrucksweisen die theilweis selbst im echten Latein schon vorbereitet waren.

**) Dahin *esse* mit dem partic. perf. als Umschreibung des Passivums, der pluralische Gebrauch abstracter Substantiva (namentlich *amor*), die substantivische Construction von *moult* und *pouc* mit dem genit. (22, 1, 4. 1, 16, 2 u. a.), der Genitiv beim Comparativus (1, 15, 4. 2, 1, 5. 40, 3, 1), die optativische Frage mit *car* oder *cor* (18, 3, 7. 41, 5, 1), das rückdeutende pron. person. in den Antworten mit o und *non* (49, 5, 2), das Fügewort *se* im Sinne von *que* (1, 10, 2. 3, 13, 4 u. a.), das gemüthliche *si* ohne nachfolgendes *que*, die Steigerung adjectivischer und adverbialer Worte mit *tres*, *espoir* (5, 4, 5. 29, 4, 1) wie *wân* Iwein S. 284, *a tout* wie *mit allû*, *forment* (1, 1, 2) wie *starcho*, *peseir* und *pesance* (10, 3, 4. 27, 3, 4) wie *wegan* u. s. f.

ist ja ein wesentlich deutscher, mag auch der grœſsere Theil ihres Materiales undeutsch sein. Doch ebenso unzweifelhaft kommt mit dem 12 Jahrh., mit Entwickelung der deutschen Hofsprache, auch das umgekehrte Verhältniss auf, und es werden franzœsischen Redensarten deutsche nachgebildet. Beispiele sind (ich schränke mich wieder auf diejenigen ein, die unsre Sammlung an die Hand giebt) *lîp* mit dem pron. possess. statt des einfachen pron. person. wie *cors* 1, 10, 4. 4, 4, 2; *flors* bildlich wie 3, 4, 4; *aller tugende hêrre* Ruol. liet 22, 9. *aller frœiden hêrre* vdHag. 1, 182 a wie *fires de vertu* 26, 1, 1. *f. de venjance* Paris. Romanc. 100. *roi de folie* Chât. de Couci S. 25; *ſolch* dieser und jener, mancher, wie *teils* 6, 2, 7. 36, 1, 1. 47, 2, 12 u. 4, 1; *lât ſtân* wie *laiſſies eſteir* 49, 7, 1; *mir gedenket* wie *menbreir remenbreir ſovenir* unpersœnl. mit dat. u. gen. 1, 2, 5. 5, 4, 2. 14, 1, 3. 15, 4, 1 u. a.; verba reciproca mit *under*, *underküſſen underminnen* wie *entrebaiſſier* 1, 11, 2. 2, 10, 4. *entreameir* 1, 12, 4; *von über mer* wie *d'outre meir* 2, 10, 2; *über ſinen danc* wie *outre ſon greit* 2, 2, 5; *mê denne vil* wie *plux cäiſſeis* 18, 4, 3; *für wâr* wie *por voir* 1, 7, 2. 2, 11, 2. 4, 2, 3; *ſêt mîne triuwe* Walth. 74, 27. Berth. 451 wie *teneis ma foi* 1, 14, 2; *diu in iemer weinet, daz bin ich* vdHag. 1, 182 a. *der iu mære bringet, daz bin ich* Walth. 56, 14 wie *je ſeux cil kains riens ni forfix* 15, 2, 10. *je ſuis cil qui mieux aura ſervi* Chât. de Couci S. 37. *je ſuis cil qui plus a de torment* ebda 38. All diese Worte und Wendungen finden sich zuerst in der hœfischen Zeit der mittelhochdeutschen Sprache und seit derselben: das Althochdeutsche weiſs noch von allen nichts.

In natürlicher næchster Wechselbeziehung mit diesem Einfluſs der franzœsischen Sprache stand der Einfluſs auch der franzœsichen Litteratur: eines hob und trug und beförderte das andre, und der frisch erweckte ritterthümliche Geist nahm beides zugleich in Beschlag. Uns selber hat die letzte Erörterung schon auf das litterarhistorische Gebiet gestellt. Bleiben wir jezt darauf.

Die Blütezeit der altfranzœsischen Poesie beginnt etwa um das J. 1150, und die bevorzugten Lande ihrer Blüte sind Flandern und die Champagne. Die Blütezeit der mittelhochdeutschen fängt gegen ein Menschenalter spæter an, und ihre Ausgangspunkte liegen am Niederrhein, also in næchster Næhe jener französischen Dichter, und durch die Flæminge von denselben nicht sowohl getrennt als nur noch mehr mit ihnen vermittelt und verbunden. Auch weiter Rhein-aufwärts fehlte es wohl nicht ganz an litterarischen Berührungen beider Völker: so zu Mainz an dem grofsen Hoftage Kaiser Friedrichs 1184 trafen Guiot von Provins (Bible 278 fgg.) und Heinrich von Veldeke (Aen. 100a) zusammen, und auch Doete von Troyes kam dahin (de la Borde 2, 184). Aber ein allgemeinerer und ständig dauernder Verkehr offenbart sich uns nur in den unteren Rheinlanden, nur da wo in demselben Jahrhundert und denselben Jahrzehenden auch eine Fülle der herrlichsten Kirchenbauten und eine tiefgehende Bewegung reformatorischer Ketzerei Zeugniss ablegen für den geistigen und künstlerischen Zug der Bevölkerung.

Dafs die mittelhochdeutsche Hofepik von dorther ausgegangen, und dafs sie von Anfang an in Stoff und Form bedingt gewesen sei durch die Muster Frankreichs, ist ein bekannter und richtig anerkannter Satz unsrer Litteraturgeschichte. Niederrheinisch, unhochdeutsch ist die Sprache all der ältesten Epen dieser Periode, und ist es zumal auch bei dem Dichter noch, den die Nachfolger selbst als den rechten Gründer ihrer Kunst an die Spitze stellten*), bei Heinrich von Veldeke. Und bevor noch Heinrich seine Aeneide dem Gedicht Christians von Troyes nach-

*) Gottfried im Tristan 4724 fgg. Rudolf im Alexander: vdHag. 4, 866.

arbeitete, war schon von Andern mit Herüberführung französischer Originale begonnen, waren schon die Sagen von Karl dem Groſsen und vom Fuchse Reinhard in französischer Umgestaltung zurück nach Deutschland geholt, war schon 1156 in französischer Sprache selbst und von einem Flamand dem Kœnige der Deutschen eine epische Dichtung zugeeignet worden *); spæterhin sollten die brittisch-französischen Romane selbst auf den Vortrag der deutschen Heldensage bestimmenden Einfluſs üben.

So die Hofepik. Von der hœfischen Lyrik dagegen pflegt man mit Befriedigung anzunehmen, die sei national, die vollkommen selbständig.

Gegenüber der provenzalischen ist sie das allerdings; wie natürlich, da Provenzalen und Deutsche weder durch Grenznachbarschaft noch auf andre Weise in so anhaltende und næhere Berührung kamen, daſs litterarische Einwirkung hätte Statt finden können. Einzig Graf Rudolf III von Neuenburg zeigt Bekanntschaft mit den Lyrikern der Provence, wenigstens mit einem derselben, Folquet von Marseille, und er ist keiner von den älteren Dichtern mehr, und ihm, dem Herren eines provenzalisch redenden Landes, muſsten sich wohl, wenn er nach Vorbildern suchte, zunæchst provenzalische darbieten.

Aber Frankreich hatte ja auch seine Lyriker, zumal in Flandern und der Champagne, und Christian von Troyes dichtete Lieder, wie er Epen dichtete. Wie nun konnte Deutschland nach letzteren greifen ohne jene mitzunehmen? Wirklich hat Heinrich von Veldeke neben der Epik zugleich auch die Lyrik der Hœfe begründet **); so wenig

---

*) der Lais d'Isle et de Galeron von Gautiers von Arras: Massmanns Eraclius S. 557.

**) Die vorher schon angezogene Stelle des Tristan lautet *Von Veldeken Heinrich der ſprach ûz vollen ſinnen; wie wol ſanc er von minnen! wie ſchône er ſînen ſin beſneit! ich wæn er ſîne wîsheit*

als die Aeneidensind seine Minnelieder frei von dem Gebrauch franzœsischer Worte *); und was wir sonst noch von den ersten Anfängen der mittelhochdeutschen Lyrik haben und wifsen, deutet nicht minder bestimmt zugleich auf den Niederrhein und noch weiter nach Frankreich hin; z. B. die Minnelieder Friedrichs von Hausen, der 1190 gegen die Türken fiel, und Bernges von Horheim (jezt Horrem, bei Achen) sowie jenes Liedfragment vdHag. 3, 444 a worin sich der Dichter Eleonoren von Aquitanien, Herzoginn der Normandie und von 1154 bis 1189 Kœniginn von England (vgl. oben S. 166 u. 191) in die Arme wünscht:

Wære diu werlt alle min
von dem mere unz an den Rin,
des wolt ih mih darben,
daz diu künegin von Engellant lœge an minen armen.

Anderswo (Misc. 2, 192. Jac. Grimm, Ged. auf Kœnig Friedr. S. 74. 91. 93) mischt vielleicht eben dieser alte Dichter (vielleicht beidemal Walther der Erzpoet, der Günstling Erzbischof Reginalds von Köln) franzœsische Worte und Verse in lateinische und lateinisch-deutsche Lieder.

Nur hat sich die neue Kunst der Lyrik, nachdem sie am Niederrhein und von Frankreich aus den Anstofs empfangen, alsobald über das ganze deutsche Reich hin ver-

---

ûz Pegafes urfpringe nam von dem diu wisheit elliu kam. ichn hân fîn felbe niht gefehen: nu hœre ich aber die beften jehen die dô bî fînen jâren und fît her meifter wâren, die felben gebent im einen prîs: er inpfete daz êrfte rîs in tiutifcher zungen, dâ von fît efte erfprungen, von den die bluomen kâmen, dâ fi die fpæhe ûz nâmen der meifterlichen fünde; und ift diu felbe künde fô witene gebreitet, fô manege wîs geleitet, daz alle die nu fprechent, daz die den wunfch dâ brechent von bluomen und von rîfen an worten und an wîfen.

*) *poifûn, amîs, prîs* u. *prîfen, klâren* u. *verklâren; câritâte* vdHag. 1, 35a kommt wie Otfrieds *kâritâti* 1, 18, 38 unmittelbar aus dem Lateinischen.

breitet, während die Epopœie längere Zeit dort verweilen mufste, eh auch die Schwaben sich ihrer annahmen. Denn die Epopœie war wirklich und wesentlich neu und fremd: es brauchte Zeit sich an sie zu gewöhnen; die Lyrik dagegen war längst schon vorbereitet durch die Einwirkung die seit Jahrhunderten die Kirchenpoesie auf die der Nation geübt hatte, und der erste entscheidende Schritt zu ihr war ganz aus eigener Kraft schon vorher gethan worden. Wenn ein Lied Dietmars von Eist (vdHag. 1, 99a) in der kirchlich-nationalen Form der paarweis reimenden viermal gehobenen Verse das Selbstgespræch einer verlafsnen Liebenden vorführt, und nur ganz leicht und kurz die äufsere Situation andeutet an die es sich knüpft, so haben wir da von derjenigen Mischung eines epischen und eines lyrischen Elementes, welche die organische Entwickelungsstufe von der einen zur andern Dichtart ist, ein um so zweifelloser nationales Beispiel, als Dietmar von Eist der Zeit und der Gegend nach in der er lebte noch von keinem französischen Einflufs konnte berührt werden.*)

Dieser kirchlich-nationale Vorgang wirkt wie in der altfranzœsischen so auch in der altdeutschen Kunstlyrik stark und unverkennbar nach. Hauptmerkmale der Art sind die epische Objectivierung und der Refrain. Namentlich die älteren, dem Nationalgesang noch næher stehenden Dichter lieben es, und Blatt für Blatt finden sich Beispiele davon, aus Seele und Mund einer andern, zumal einer weiblichen Person zu sprechen, oder recht in altepischer Weise einem ganzen Lied dialogische Fafsung zu

*) Dietmar de Aist, Ditmarus de Agist 1143 und um 1170 im Bisthum Passau: vdHagen 4, 473. Übrigens ist was die Liederhandschriften unter diesem Namen zusammenstellen keineswegs alles von gleichem Alter: sie vermengen zwei Dietmare oder sonst verschiedene Dichter.

geben. Der Refrain *) ist national und kirchlich zugleich. Auf letzteren Ursprung scheint er besonders dann zurückzugehn, wenn er aus begrifflosen Lauten und Worten zusammengesetzt, wenn er eine blosse *jûwezunge* ist **) wie *tandaradei* bei Walther 39. *lodircundeie lodircundeie* Misc. 2, 201. *hyria hyrie nazaza trillirivos* Grimm Friedr. 78. *dû tenderl lenderl lenderlin* vdHag. 2, 116. *traranuretum traranuriruntundeie* 116 b. *deilidurei faledirannurei lidundei faladaritturei* vdHag. 1, 110 a, und bei niederländischen Dichtern *harbalorifâ* vdHag. 1, 15 b. *fusa ninna fusa noe* Hor. Belg. 2, 21. ***) *cia fa lencia* ebda 28 †): denn wenn im geistlichen Liede das Volk auf den Gesang des Priesters oder eines Laien mit *kyrieleison* oder *alleluia* Antwort gab ††), so war das für die singende Menge ein blosser Ausruf der Empfindung, *ein sange âne wort*, ohne Begriff †††); jenes *hyria hyrie* klingt wohl nicht zufällig an *kyrie* an, und *alleluia* oder bloss mit den Vocalen des Worts *aeuia*, und *euouae* d. h. *seculorum amen*, jenes dann auch in *avoi*, *aoi* entstellt, sind

*) am häufigsten bei dem Schenken Ulrich v. Winterstetten: von vierzig Liedern haben ihn nur achte nicht.

**) *Jubilum et jubilatio, daz ir diche vindet in deme saltare, daz chuit rehte in diutisken jûbinde jûwezunge: daz ist sô der mennisk sô frô wirdit, daz er vore froude ne weiz waz er in algdhen sprechen oder singen mege, unde hevet ime ein sange âne wort, so ir ofte vernomen habet von den gebûren jouh vone den chindelinen, die dennoh dere worte gebiliden neweder ne magen noh ne chunnen.* Windberger Erklærung zu Ps. 94, 2.

***) *das rechte Susaninne* in Luthers Kinderlied auf die Weihenachten.

†) Aus franzœsischen habe ich mir der Art nur bemerkt *vali doriax li doriax laire le* De la Borde 2, 215.

††) *Ther kuning reit kuono, sang lioth frônô, joh allê saman sungun «kyrrie leison»* Ludwigsleich.

†††) Halb ein Wort, halb blosse Jauchzung ist das *Ina ju ju jubilieren, ju ju ju ju jubilieren* eines geistlichen Liedes Leseb. 1, 897.

bei Deutschen und Franzosen vielgebrauchte Refrains auch weltlicher Lieder geworden.*)

In solcher Art ist die mittelhochdeutsche Lyrik wohl aus eignem heimischem Boden gewachsen, mit deutschen Samenblättern und wohl auch in deutsches Laub: aber die Blüte hat ein Staub gefärbt und befruchtet der von jenseit der Maas herübergeweht worden; die Mittheilung ward dadurch befördert, dafs Ein litterarhistorischer Vorgang von grœstem Gewichte, die Kirchenpoesie, beiden Nationen gemein war. Und es blieb nicht bei dem einen ersten Anstofs: auch nachdem die letzten Jahrzehende des zwölften Jahrhunderts vorüber waren, dauerte die Wirkung fort und fort. Das bezeugt Gottfried von Strafsburg der eine ganze Reihe von Formen der lyrischen Dichtung mit franzœsischen Namen aufführen darf, *fchanzûn pafturêle rotruwange foldte rundâte refloit ftampente* (Trist. 2292 fg. 8062 fgg. 19214 fg.); das die Bekanntschaft Walthers von Klingen vdHag. 1, 73b mit der franzœsischen Sitte der Liederkrœnungen (oben S. 191); das die anwachsende Vervollständigung der Musik (und die Musik hatte ja für den lyrischen Gesang die hœchste Bedeutung) mit allerlei Instrumenten deren franzœsischen Ursprung immer schon der Name verræth: so der Geige, die doch allgemein zur Begleitung des Vortrags diente, anderer zu geschweigen.**) Ob auch franzœsische Dichter nach Deutchland kamen? Sicherlich mehr als ein deutscher nach Frankreich. *Ich hân gemerket von der Seine unz an die Muore, von dem*

---

*) Wolf über d. Lais S. 29. 189. 193. Nationaler beginnt der Tannhäuser (vdHag. 2, 91 fg.) einen Refrain mit dem gerichtlichen Nothruf *Heil alle und aber jâ! ziehent her ze wâfend!*

**) Ein Verzeichniss nach niederländischen Quellen, das jedoch für das übrige Deutschland mit gilt, in Hoffmanns Hor. Belg. 6, 195 fgg.; die franzœsischen Instrumente in der betreffenden Instruction du Comité historique.

Pfâde unz an die Traben erkenne ich al ir fuore: Walther 31: Spæterhin scheint Konrad der Schenke von Landeck lange und weit darin umhergefahren zu sein: er sehnt sich aus dem Winter der am Meer, an der Seine und Aisne schon beginne heim an den Bodensee nach Schwaben: da sei wohl noch Wonne und Vogelsang; dahin grüfse er stündlich tausendmal die Geliebte, die schœner sei als alle Weiber in Hennegau Brabant Flandern Frankreich Picardie (vdHag. 1, 357 fg.). Was aber ganz besonders hier in Anschlag kommt ist die sichtlich fortgeführte Verbindung mit der Champagne, dem einen Heimatland der franzœsischen Lyrik, und die Theilnahme eines Herzogs von Brabant zugleich an der franzœsischen und der deutschen, wodurch auch die Verbindung mit den flandrischen Dichtern unabgebrochen erhalten und aufs neue vermittelt ward. In der Champagne, sagt Wolfram (Wilh. 237), spræchen selbst die ungebildeten Leute befser Franzœsisch als er; eben dahin wird in einem Liede Neidhards oder Gœlis (vdHag. 2, 80 b) die welsche Ziererei eines Bauern bezogen; spæterhin war der Ruhm Graf Theobalds, jenes ritterlichen Sängers und Kœnigs, auch im Munde deutscher Dichter: *wære ich künic in Schampenge, fô wære ich witendn erkannt* heifst es bei Wachsmuth von Mühlhausen vdHag. 1, 327 a. und an dem Turnier von Nantes giebt ihm Konrad von Würzburg, oder wer sonst Verfafser dieser Heroldsdichtung sei, einen vorzüglichen Antheil. Einen Herzog von Brabant als franzœsischen Dichter haben die meisten Liederhandschriften dieser Sprache, auch die unsrige (Nr. 35); seinen Namen bezeichnet keine: doch sind die franzœsischen und die deutschen Litteratoren dahin einverstanden, es sei das Herzog Heinrich III (1247—1260), weil der ein Gönner des Menestrelkœnigs Adenet, also ein Freund der Dichtkunst, also wohl auch selbst ein Dichter gewesen. Das ist der einzige Grund. Nun giebt es aber von dessen Sohne

Johann I (1260—1294), gleichfalls noch einem Gönner Adenets, deutsche Lieder, hochdeutsch gemeinte, aber mit starker Einmischung der angebornen niederländischen Mundart*); darunter eines das sich durch Inhalt und Ton den Pastourellen naehert (vdHag. 1, 15b), wie von jenen vier französischen Gedichten des unbenannten Herzogs von Brabant auch eins eine Pastourelle ist (de la Borde 2, 172). Warum da nicht, was doch gewiss einfacher und natürlicher, beidemal einen und denselben Verfaſser annehmen, beidemal also Herzog Johann I? Am andern Ende Deutschlands dichtete ein andrer Fürst, Kœnig Wenzel I oder II von Bœhmen, gleichfalls in beiden dort zusammengrenzenden Sprachen, auf Bœhmisch und auf Deutsch: aber von wahrhaft historischem Belang ist nur unser Fall: nichts bezeichnet treffender das litterarische Verhältniss von Frankreich und Deutschland unter einander und der Niederlande zu beiden als ein Herr von Brabant, der franzœsisch gebildet ist und franzœsisch dichtet und nun auch deutsch zu dichten sucht.**)

Die franzœsische Lyrik hat sich auf Anlaſs und unter Einwirkung der provenzalischen entwickelt: sie bleibt jedoch weit hinter ihrem Vorbild zurück; die deutsche sodann auf Anstoſs und unter Einwirkung der franzœsischen: aber sie übertrifft ihr Vorbild. Es ist mit der Lyrik gegangen wie mit der Epik, und mit der Poesie wie mit der bildenden Kunst: auch den gothischen Baustil haben die Deutschen zuerst von den Franzosen erlernt, aber das Urtheil der Kenner giebt den deutschen Gebäuden den Vorzug.***)

*) ähnlich dem Leich Herrn Türners der den Liedern von Winli angehängt ist vdHag. 2, 31 fg.

**) Walther von Metz wage ich hier nicht zu nennen: der deutsche Minnesinger und der franzœsische Lehrdichter die beide diesen Namen tragen, sind eben doch verschiedene Personen, jener von Metz in Tirol und nur dieser ein Lothringer.

***) Kuglers Kunstgesch. 546 fg. Jac. Burckhardt, Konrad v. Hochstaden 55 fg.

Die Lyrik der französischen Höfe will auch in ihrer besten Zeit Alles mit der Reflexion, mit dem Witz, dem Scharfsinn machen: in Deutschland bezeichnet der gleiche Hang erst den Verfall der Kunst: während der Jahrzehende des Aufsteigens und der Höhe quellen die Lieder aus dem rechten Liederquell, aus dem Gemüth. Darum auch kommen hier erst mit dem Verfall Gedichte auf, die den Jeux partis der Franzosen entsprechen; wenn man es so ansehen mag: denn was wohl zu beachten ist, diese deutschen Tenzonen knüpfen mit nationaler Eigenthümlichkeit an die uralte Räthselpoesie des deutschen Volkes an, unverkennbar zugleich als Versuche der beginnenden Dramatik, als nothwendige Glieder also eines neuen organischen Fortschrittes der Litteratur: ich denke dabei nächst Frauenlobs Wettgesängen und den Gesprächen Keies und Gawans vdHag. 2, 152 fg. der Liebe und der Schöne 1, 337 fg. usf. besonders an den Krieg auf Wartburg. Die frühere Zeit überliefs das Räthsel dem Volke, das Jeu parti den Franzosen; höchstens das Liebesurtheil (*jugemans d'amors* oben S. 190), welches an das Jeu parti nur grenzt, versucht sie zuweilen, ohne es jedoch in französischer Art auszuführen (vdHag. 1, 314 a. 322b); und so geläufig auch ihr der Ausdruck *spil teilen* ist, sie gebraucht ihn in jeglicher andern Beziehung, sogar vom Kampfe auf Tod und Leben und von der Wahl zwischen diesen beiden *), nur nicht um eine eigene Dichtform zu benennen. Das Französische hat deren Namen von den Provenzalen; im Provenzalischen mag die ganze Redensart von deutschem Ursprunge sein.

Die Kunstlyrik der Franzosen stand im Allgemeinen ziemlich aufserhalb der lebendigen Wirklichkeit, aufserhalb des nationalen Lebens. Nicht so die Deutsche. Hier

*) vgl. die Anmerkungen zum Iwein 4630 und zu Freidank 102, 24.

wurden Lieder und Leiche immer gesungen, nicht auch blofs geschrieben und gelesen *); gesungen von dem Dichter, gesungen von Boten die er mit Wort und Weise im Mund, die Schrift in der Hand z. B. der Geliebten sendete (vdHag. 1, 88b. 2, 147b. Hartmann Hpt 5, 17. Ulr. v. Lichtenst. 125), gesungen von der Geliebten selbst (vdHag. 1, 152a), von Spielleuten die aus dem Vortrag fremder Erzeugnisse ein Gewerbe machten (Lichtenst. 422), ja zuweilen vom allgemeinen Mund (vdHag. 1, 122b. 151b. 2, 108a. Walth. 53, 33. 41, 25. 72 fg. u. Brag. 3, 411 fg. 56 u. Lichtenst. 240. 405); und von der Geliebten nur dann blofs gelesen, nicht auch vor ihr gesungen, wenn es dem Dichter an einem kundigen Boten gebrach (vdHag. 1, 216b. 2, 73a. Lichtenst. 99. 321). Da wars dann auch in Wahrheit nothwendig um der Ehre der Geliebten willen ihren Namen nicht zu nennen, hœfisch ihn zu verschweigen, thœricht und schamlos darnach zu fragen: vdHag. 1, 36a. 133a. 155b. 2, 92b. 168b. 3, 322a. Walth. 63 fg. 98. vgl. Uhland über Walther S. 17. Neidhard freilich hält mit dem Namen seiner Friderune nicht zurück: seine Poesie ist aber auch vom Lande; einmal jedoch will auch er auf die Thorenfrage nicht antworten: Ben. 5, 7.

Die Lyrik der Franzosen geht beinah ganz auf in Minnegesang: denn auch die Fragen die im getheilten Spiel erörtert werden sind immer nur Fragen der Liebe.**) Bei den Deutschen ist, wie natürlich und gebührlich, diefs

---

*) oben S. 176 Anm. *Der leich vil guot ze ſingen was; manc ſchœniu vrouwe in gerne las* Frauendienst 426. *Sanc mac man ſchriben unde leſen* vdHag. 3, 44a. d. h. auch schreiben und lesen, im Gegensatze zur Instrumentalmusik wo das nicht angehe.

**) *Mais jadis li prince et li conte qui amours metoit en ſon conte faiſoient chans, dis et partures en rimes de gentes faitures: ainſi gracioient amours, compluingnans leurs douces dolours* Roumans dou Chast. de Couci 13.

ebenfalls der vorwaltende Stoff*): aber er waltet nur vor, er schliefst keinen andern aus, und es ist ein irriges und irre leitendes Wort, wenn die Herausgeber der Pariser Handschrift sie eine Sammlung von Minnesingern nennen, wenn also Hartmann von Aue zum Beispiel, der sich einmal selbst in ausdrücklichen Gegensatz zu den Minnesingern bringt (Haupt 22, 20), wenn Geltar der seine Zuhœrer sogar ersucht auf die Minnesänger loszuschlagen (vdHag. 2, 173a), wenn mehr als ein Lyriker des 12 und des 13 Jahrh. der nichts als religiœse oder moralische oder politische Gedichte verfafst hat, nun dennoch mit ein Minnesinger heifsen mufs.**) Darin eben beruht ein neuer und ein Hauptvorzug der altdeutschen Lyrik vor der altfranzœsischen, dafs sie nicht so eng und dürftig bleibt als diese, dafs sie namentlich auch den Interessen der Nation und der Zeit sich öffnen mag. Zumal in deren Dienste hat sie neben Lied und Leich den Spruch entwickelt***), dem Gehalte nach mit dem provenzalischen Sirventes übereinstimmend, in der Form davon verschieden, selbständig und eigen; die Franzosen haben nichts der Art.

Bei diesem Übergewicht der Deutschen an Poesie læfst sich von vorn herein erwarten dafs sie trotz dem histori-

*) Die Aufzählung der ritterlichen Tugenden Herrn Heinrichs von Aue schliesst mit den Worten *und kunde vil wol von minnen* A. Heinr. 71.

**) Freilich spricht Gottfried im Tristan 4749 fgg. von den Lyrikern auch nur als von Nachtigallen d. h. Minnesingern: aber er spricht so im Tristan, einem Liebesromane, wo ihm sonst keine Dichtung ausser der minniglichen in Betracht kam.

***) In den Anfängen, bei Spervogel und sonst im 12 Jahrh., fallen noch Lied und Spruch formell gänzlich zusammen: die gleiche Strophenart wird auf rein lyrische und auf didactische Stoffe angewendet, und auch rein lyrische werden gelegentlich mit einer einzigen Strophe (*einem liede*) abgethan. In Stoff und Form vollendet ist die Trennung erst bei Walther v. d. Vogelweide.

schen Verhältniss ihrer Lyrik zu der der Franzosen und trotz ihrer Bekanntschaft mit deren Helden- und Liebesgedichten doch von dem Inhalt der letzteren, von poetischen Gedanken nur wenig werden entlehnt haben. Vor kommt es aber doch. Zwar die beliebte Einleitung der Lieder mit einigen Worten über den süfsen Mai oder des Winters Leid ist zu natürlich *), als dafs sie brauchte dem Vorgange der Franzosen nachgebildet zu sein, zumal sich darein bei den deutschen Dichtern eine Fülle einheimisch mythischer Anschauungen, namentlich von einem Kampfe beider Jahreszeiten mischt (Jac. Grimms Mythol. 719 fgg.). Wenn aber Heinrich von Veldeke vdHag. 1, 37b statt des Maien von dem *aberellen* spricht, so deutet das um so gewisser auf Dichterbeispiele eines milderen Klimas zurück, als andere Deutsche den April so nehmen, wie er in Deutschland wirklich ist (vdHag. 2, 266a. Ulr. v. Lichtenst. 417, 27). Dann auch sonstige Entlehnung von Einzelheiten. Christian v. Troyes oben 10, 4 *Onkes del bouraige ne bui dont Trifstans fut enpoifonneis, maix plux me fait ameir ke lui amors et bone volenteis:* Heinrich v. Veldeke vdHag. 1, 36a *Triftan muofe funder danc ftete fin der kuniginne, wan in der poifûn dar zuo twanc mêre dan diu kraft der minne. des fol mir diu guote danc wizen daz ich folchen tranc nie genam, und ich doch minne baz danne er;* Bernge v. Horheim ebda 320a *Nu enbeiz ich doch des trankes nie dâ von Triftan in kumber kan. noch herzeclicher minne ich fie dann er Ifalden.* Ferner 32, 1 *Boin jor ait heu celle a cui fuis amis:* Rud. v. Rothenb. vdHag. 1, 88a

---

*) Wenn der Winter sich in den Sommer wandelt (*gegen der wandelunge*) erwachen Sehnsucht und Freude und mit ihnen der Gesang: Nith. Ben. 4, 7. 10, 1. 12, 2 u. a. *Sumer ouget fine wunne, daz ift an der zit: prileve er wol, fwer tihten kunne, waz materje lit an dem walde und ûf der heide breit* Ulr. v. Winterstetten vdHag. 1, 159b.

Hiute gebe ir got vil guoten tac; ebda 3, 448 *Der al der werlte ein meister si, der gebe der lieben guoten tac.* Ein Ungenannter bei De la Ravallière 2, 213 *Dune chose ai grant desir que vos puisse tolir ou emblier un douz baisier, par si que si corrocier vos en cuidoie, volentiers le vos rendroie* *): Reinmar d. a., vdHag. 1, 178 a *Und ist daz mirs min sælde gan, daz ich ab ir wol redendem munde ein küssen mac versteln, gît got daz ich ez bringe dan, sô wil ichz tougenlichen tragen und iemer heln. und ist daz siz für grôze swære hât, und vêhet mich dur mine missetât, waz tuon ich danne unsælic man? dâ nim eht ichz und tragez hin wider dâ ichz dâ nam* und Walther 54 *Si hât ein küssen, daz ist rôt — swie dike sô siz wider wil, so gibe ichz ir.* Ich begnüge mich mit diesen paar Beispielen, und lasse andre, die vielleicht weniger einleuchtend sind, gern bei Seite.**)

So ist die mittelhochdeutsche Lyrik wohl dem Gehalte nach beinah unabhängig von der franzœsischen, und weit im Vorzug und Vortheil: eigentlich abhängig nur in einem Stücke, das aber in Dingen der Poesie, namentlich der lyrischen, eins der allerwesentlichsten ist, abhängig in der

---

*) fast wörtlich nach dem Provenzalischen Peirols Rayn. 5, 282. Ebenso wenn es bei Provenzalen heisst *Prenha l'aur e lais l'estanh,* '*Per' estaing camjet son aur fin valen*' Diez Leben u. Werke 394. 418 und bei Veldeke *Dazi si niuwez zin nement für altez golt* vdHag. 1, 37 b, ist zwischen jenen Stellen und dieser die Vermittelung einer franzœsischen anzunehmen.

**) Viele Gedanken waren eben Gemeingut: so z. B. und namentlich der Tausch der Herzen, das Zurücklassen des eignen, das Mitnehmen auch des fremden. In sinnlicher Anschauung bei Ulrich v. d. Türl. Wilh. 146 b *Vor des rokes buosem man hie sach driu bild. diu heten menschen schin, ein smareis, safir und ein rubin. daz was zwei wip und ein man, als ich ez von dem mære hân, Tibalt ez was und Vênus, Kiburc daz drit. diu stuonden sus. Vênus Tibald sin herze ûz sneit, ein ander herz si wider leit, daz was Kiburc der künigin; daz sin ir wart. sus was under in der wehsel in den liehten stein.*

äufseren, der musicalisch-metrischen Form, der Behandlung der Verse und des Reims, dem Bau der Strophen und der ganzen Gedichte. So jedoch, dafs auch hierin wieder der Lehrling es dem Meister zuvorgethan hat, an Ernst, an Strenge, an Lust und Kraft eigener neuer Schöpfung. Um einen Hauptpunkt gleich jezt zu berühren, den Franzosen macht es nichts, wie es auch den Provenzalen gleichgültig ist, wenn eine und dieselbe Form in verschiedenen Gedichten angewendet wird, wenn ein Dichter sich selbst oder einen andern in der Form wiederholt. Die Deutschen dagegen verlangten und schufen für jedes neue Gedicht auch einen neuen Ton, für jedes Lied wenigstens und jeden Leich: bei Sprüchen, deren Vortrag aber schon von der sonst üblichen Art abgehn mochte, gestattete man sichs eher, nicht jedesmal neu zu sein: indessen auch da nur innerhalb gewisser Grenzen, die Simrock gut erörtert hat (Walther 1, 176. 2, 113 fgg.); es bezeichnet den Verfall der Kunst, dafs die Hunderte von Sprüchen Reinmars von Zweter sämmtlich auf den einen Frau-Ehren-Ton gehn. Sonst aber hielt man so gewifsenhaft auf die Neuheit, so eifersüchtig auf die Originalitæt, dafs der Marner mit Beziehung auf Gedichte die für uns verloren gegangen sind denselben Reinmar einen Tœnedieb schelten durfte (vdHag. 2, 241 a). In solcher Art nahm schon die Formgebung den erfindenden Sinn der Dichter in stärksten Anspruch, und sie waren reichlich ebenso befugt ihre Kunst ein Finden zu nennen, als Provenzalen und Franzosen.*) Und gemæfs diesem Schöpfungseifer und

*) *vinden vindære vunt* an mehr als an einer Stelle (Trist. 4663. 4741. 19200 fgg. Nith. 19, 1. Berthold 229 u. a.), kaum überall mit nachbildender Beziehung auf das fr. *troveir* und *troveires*, da schon ältere Gedichte das Wort so gebrauchen (Hartm. v. Glauben 1641. Mones Anzeiger 8, 53) und das *Urtheil finden* der Rechtssprache wesentlich denselben Begriff enthält. *Troveir* selbst, prov. *trobar* ist

Schöpfungsernst nun auch eine bewufste und benannte Unterscheidung innerhalb all der Mannigfaltigkeit lyrischer Gedichtarten: bei Ulrich von Lichtenstein *sincwîse* oder *sancwîse*, *tanzwîse*, *langiu wîse*, *tagewîse*, *ûzreise*, *reye*, *leich*; theilweis anders und noch weiter sondernd Reinmar der Fiedler vdHag. 3, 330b *tageliet klageliet hügeliet zügeliet tanzliet leich kriuzliet twingliet schimpfliet lobeliet rüegeliet*. Die Kunstsprache der Franzosen erscheint bei weitem nicht so ausgebildet.

Jezt die einzelnen Züge in denen die formelle Abhängigkeit der deutschen Lyrik von der franzœsischen uns vor Augen tritt. Zuerst vom Versbau.

Ursprünglich stellte die deutsche Poesie den Rhythmus einfach und kunstlos dadurch her, dafs blofs die Hebungen gefordert und gezählt, die Senkungen aber freigegeben waren: so in den allitterierenden Versen, so in den reimenden mit denen zuerst das neunte Jahrhundert den jambischen Dimeter des lateinischen Kirchengesanges wiedergab, so noch im Nibelungenvers der wohl als Nachahmung des Alexandriners der franzœsischen Heldenlieder, eines Alexandriners næmlich mit weiblichem Einschnitt, gemeint war. Mit der Entwicklung der Kunstlyrik änderte sich das; die Franzosen hatten Jamben und Trochæen, wennschon zuweilen etwas frei behandelt: nun kam auch im Deutschen, und hier mit strengerer Beachtung des Accentwerthes der Sylben, zwischen je zwei Hebungen eine Senkung zu liegen; genauere Dichter nahmens auch mit der Anfangssylbe genau, unterschieden also gleichfalls Jamben und Trochæen*);

---

deutschen Ursprunges (oben S. 141), und gewiss ohne südlichen Einfluss bezeichnet das altnordische *drâpa*, das von eben dieser Wurzel kommt, eine episch-lyrische Gedichtart, ein Lobgedicht.

*) Dazu kam bei den älteren Dichtern, unter den spæteren namentlich bei Ulrich von Lichtenstein noch der dactylische und dessen Abart der anapæstische Rhythmus, ich denke als Nachwirkung der lateinischen Kirchenpoesie.

und wie die Franzosen thaten (S. 170 fg.) so mischten gelegentlich auch sie jambische und trochæische Verse in geregeltem Wechsel unter einander.*) Besonders beliebt aber ward der jambische Decasyllabus, der gewohnte Vers der Franzosen, für Deutschland ein ganz vorgangsloses Mafs.

So jedoch eben nur in der Lyrik, wo das franzœsische Beispiel eindringlicher wirkte: in der Epik, strophischer wie unstrophischer, blieb die blofse Zählung der Hebungen geltend; erst Konrad von Würzburg gieng auch da auf Jamben aus. Und Ein Vers ward auch in der Lyrik immerfort auf deutsche, auf epische Weise behandelt, weil da wieder das deutschepische Beispiel næher lag, der Nibelungenvers, nicht blofs von Kürenberg, dessen Lieder das älteste Zeugniss dieses Mafses sind, der es sogar mag erfunden haben **), sondern auch von spæteren Dichtern und noch in den mancherlei Änderungen der Form durch Brechung oder Erweiterung der Zeilen: vdHag. 1, 3 b. 219 a. 2, 115 b. 161 b. 171. 3, 329 a. 446 b u. a. Nur der ältere Reinmar scheint 1, 187 fg. und Walther in zweien seiner Gedichte, S. 88 u. 124, hier zwar nicht überall mit Innehaltung der Cæsur, das strengere Alexandrinermafs herstellen zu wollen.***)

---

*) Beispiele aus Walther v. d. Vogelweide. Sechszeilige Strophen, die 2 u. 4 Zeile jambisch 73; die 2. 4. 6 jambisch 49. 72; siebenzeilig, 6 u. 7 jambisch 102; achtzeilig, die 8 jambisch 42; die 2. 4. 8 jambisch 41; die 2. 4. 7 trochæisch 74; neunzeilig, 4 u. 6 jambisch 94; zehnzeilig, 3. 6. 9. 10 jambisch 46; die 3. 6. 7. 9. 10 jambisch 45; die 2. 5. 7. 8. 9. 10 trochæisch 44; zwölfzeilig, 1. 2. 3. 4. 12 jambisch 47; dreizehnzeilig, 5 u. 10 trochæisch 101.

**) er bezeichnet es wenigstens, indem er es *Kürenberges wîse* nennt (vdHag. 1, 97 a) als sein Eigenthum.

***) Ich denke mir næmlich in dem Tagliede Walthers 88 fg. die Theilung und Verbindung der Verse eigentlich so gemeint:

Friwentlichen lac ein riter vil gemeit
an einer frowen arme. er kôs den morgen lieht,

Der genauere Versbau hebt mit Heinrich von Veldeke an: mit ihm auch der genauere, kunstgemæfsere Reim: ein Verdienst das ihm Rudolf von Ems gebührend anrechnet (vdHag. 4, 866a). Bis auf ihn hatte man sich anstatt des Reimes wohl auch mit blofsem Anklang der Vocale oder der Consonanten begnügt *); man konnte lange Zeit nicht anders, da bei der grofsen Mannigfaltigkeit der Endungen die Sprache noch arm an treffenden Reimen war: er zuerst und neben ihm der gleichfalls niederrheinische Verfafser des Pilatus reimte mit dem vollen Gleichklang aller Laute. Man hatte ferner, da für den Versbau blofs die Hebungen gezählt wurden, keinen Unterschied gemacht zwischen stumpfen und klingenden, einmal und zweimal betonten Reimworten, sobald nur die nœthige Zahl der Accente zutraf; noch bei Spervogel **) galten Zeilen und Reime wie *Wéiſtu wie der igel ſprâch? Vil gúot iſt éigén gemách* und *Würzè des wáldès Und érzè des góldès* einander vollkommen gleich: Heinrich zuerst fafste den klingenden Reim als eine besondre Art auf, indem er den Tiefton der zweiten Sylbe für eine Senkung rechnete, und band und mischte beiderlei Reime in geregeltem Wechsel.***) Diefs

---

do er in dur diu wolken ſô verre ſchînen ſach.
diu frowe in leide ſprach owê geſchehe dir, tac.
daz dû mich lâſt bî liebe langer blîben nieht.
daz ſî dâ heizent minne, deis niewan ſenedè leit.

Ein volksmæssiges Gedicht des 14 Jh., Halbsuters Lied auf die Schlacht von Sempach, hat buchstæblich die Form der altfranzœsischen Alexandrinerstrophe Nr. 52.

*) und zwar mussten dann der Regel nach bei gleichem Vocal die Consonanten ähnlich, und durften bei gleichen Consonanten die Vocale verschieden sein: *ſtarc wart, tage grabe, beſlozen herzen, waldes golden*.

**) sogar noch bei Veldeke selbst, falls die vier Strophen vdHag. 1, 37 wirklich ein einziges Lied ausmachen, und nicht vielmehr mit der dritten ein neues beginnt.

***) Einige und nicht bloss ältere Lyriker bringen die zweite, nun-

aber nur im lyrischen Verse, weil nur da auch Senkungen gefordert wurden: im epischen, der blofs auf den Hebungen beruhte, blieben für Heinrich und für die Dichter nach ihm die klingenden Reime zwietonig wie zuvor, und frei nach Zufall oder jedesmaliger Absicht durften im Epos klingende und stumpfe Reimpaare gemischt werden. Endlich hatte man bis auf ihn keine andre Stellung der Reime gekannt als die paarweis und unmittelbar bindende; hœchstens dafs Spervogel schon den zweiten Vers eines Paares verlängerte und durch einen Einschnitt theilte, verlieh dem gleichmæfsigen Fortschritt einige Mannigfaltigkeit: Heinrich aber und er zuerst liefs verschiedene Reime sich kreuzen und verschränken, und er konnte und durfte es: denn nun erst, wo genauer gereimt ward, hœrte man auch bei überschlagender Bindung den Gleichklang heraus.

Alles das lernten die mittelhochdeutschen Lyriker von Heinrich von Veldeke; er aber hatte es von den Franzosen gelernt. Eben daher nun auch mancherlei Künste in der weiteren Anwendung des Reimes.

Durchführung derselben Reime durch ein ganzes Gedicht ist schon bei den Franzosen selten (oben S. 171): gar den Deutschen gab ihre Sprache für solch eine Kunst zu wenig Material an die Hand, und Gottfried von Neifen mufs sich damit auf je die Hälfte eines vierstrophigen Liedes beschränken (vdHag. 1, 51 fg. vgl. oben S. 174 fg.). Regel ist wie bei den Franzosen dafs jede Strophe ihr Reimsystem für sich habe; dabei schliefsen sich nament-

---

mehr tonlose Sylbe klingender Reime gar nicht mehr in Anschlag, und lassen deshalb stumpfe und klingende Verse ganz regellos wechseln: so Kaiser Heinrich vdHag. 1, 3. Gottfr. v. Neifen ebda 60 fg. Heinr. v. Sax 93. Wilh. v. Heinzenburg 304a. Walther v. Metz 307a. Ja der von Veldeke selbst gerœth mehr als einmal in diese Ungenauigkeit, 35. 36 fg. 38a. Indessen auch dafür gab es franzœsische Vorgänge: vgl. oben S. 171 und das Jeu parti in Paris Romanc. 161.

lich die älteren Lyriker den Beispielen der Fremde (oben Nr. 6. 13. 21. 29. 31. 33. 37. 42. 50) noch insofern næher an, als auch sie es lieben in jeder Strophe nur je zwei Reime zu gebrauchen: so næchst Veldeke Friedrich von Hausen vdHag. 1, 213 fg. (*vert: verſpert* lies *vart: verſpart*) 214 fg. 215 fg. Bernge v. Horheim 320 fg. Heinr. v. Morungen 121 fg. 124 fg. 125 fg. 127 a. 128 a. 129. 130 b. Bliker v. Steinach 326. Hildebold v. Schwangau 280 a. 281 fg. 283 fg. 284 b. Gottfr. v. Neifen 55. 58 a. 59 b u. a.; zuweilen sogar (vgl. oben Nr. 1. 3. 22) nur einen einzigen Reim: vdHag. 3, 444 a. 447 a. Veldeke 1, 40 b. Walth. 39. Ulr. v. Lichtenst. 394. vgl. 443.

Zur Verbindung der so durch den Reim gesonderten Strophen werden dann all die gleichen Kunstmittel angewendet, deren die Franzosen sich dazu bedienen (oben S. 171 fg.). Bald die Wiederkehr desselben Reimes in je einer Zeile der einzelnen Systeme: Walth. 110. Ulr. v. Lichtenst. 449. vdHag. 1, 24.*) 112 b. 2, 20. mit wechselnder Umstellung in je zweien 2, 148 a; bald Anreimung des Strophenbeginns an das Schlufswort der vorhergehenden Strophe: 3, 83 b; bald wörtliche Aufnahme dieses Schlufses im Beginn der folgenden: 1, 88 b **). Eine Überkunst ist es, und ich weifs nicht ob auch diese den Franzosen ab-

*) Die letzte Strophe wird ein unechter Zusatz sein, da sie keinen Reim auf ô enthält. Gottfr. v. Neifen vdHag. 1, 54 fg. bindet mit zwiefachem Reime die Schlusszeilen der ersten und der dritten, der zweiten und der vierten Strophe.

**) Bei Rudolf von Neuenburg 1, 18 wird das gleiche Verfahren schicklicher auf provenzalische Muster zurückgeführt: vgl. oben S. 200. Andre Verbindungsmittel liegen ganz in dem freieren Gebiete des Stils und brauchten keinem Muster abgesehen zu werden: so namentlich die von Strophe zu Strophe gehende Anaphora Walth. 13. 124 (hier mit jener Schlussaufnahme vereint), Ulr. v. Lichtenst. 440. 449 wo die erste Strophe mit einem, die zweite mit zweien, die dritte mit dreimaligem *wol* beginnt, u. a.

gelernt, wenn in einem Liede Gottfrieds von Neifen 1, 44 b alle Zeilen der ersten und der dritten Strophe ihren Reim erst in der zweiten und der vierten finden; Ulr. v. Lichtenst. 443 fg. verknüpft ebenso die zweite, die vierte und einen Theil der fünften: vgl. unten S. 224.

Auch das zierliche Spiel des grammatischen und des rührenden Reims (oben S. 172 u. 173) üben die deutschen Lyriker, beides namentlich Gottfried von Neifen, dem überall so wohl ist im Fluſs seiner sprachgewandten Rede. Grammatische Reime bei ihm vdHag. 1, 43 fg. 54. bei Veldeke 39 b. Reinmar d. a. 200 a. Burkard v. Hohenfels 205 a. Ulr. v. Lichtenst. 563 fg. *); vgl. Hartmanns erstes Büchlein S. 79 u. 82 und die Anmerkung zum Iwein 3145. Rührende bei dem von Neifen vdHag. 1, 50. 54 fg. und bei Walther v. d. Vogelweide, wenn dieſs Gedicht von ihm ist **), S. 122 fg. Beiderlei Künste durch einander geschroben bei Konrad v. Würzb. vdHag. 2, 318 fg. ***)

Verwandt dem grammatischen Reime ist der gebrochene, insofern auch dieser auf einer grammatisch bewuſsten Auffaſsung der Worte beruht: er zerlegt Zusammensetzungen in ihre Bestandtheile und bindet nur den ersten derselben mit einem Gleichklange, indem der zweite an

---

*) *Diu liet diu wâren meiſterlich unde ir rîm gar ſinne rîch; dâ von ſî gerne maneger ſanc* S. 564.

**) ich zweifle aber daran, weil das Spiel doch nicht durchgeführt ist wie Walther es vermocht hätte; weil er mit solchem Stoff schwerlich so würde gespielt haben; weil er sonst nirgend so spielt; weil unwaltherische, ja unhochdeutsche Ausdrücke vorkommen (*gebære* 123, 10. *die liſt* 30. *heln* mit acc. u. dat. 36); endlich weil das Gedicht in keinen besseren Handschriften steht als der Pariser und der Würzburgischen.

***) Im Liedersaal 3, 241 fgg. und bei Suchenwirt 146 fgg. zwei nichtlyrische Gedichte ganz in rührenden Reimen. Bloss gleiche Reime in den vierzeiligen Strophen mit denen Gottfried einige Acrosticha durch seinen Tristan führt.

den Beginn der folgenden Zeile tritt: Gottfr. v. Neifen *wip-lich: lîp* vdHag. 1, 58b; Konr. v. Würzb. *trûter: lûter-var* 2, 312 b. *morgen-ſternen: unverborgen* 319 b. *under: wunder-licher* 323 b. mit etwas ungrammatischer Theilung *wünne-elicher: künne* 317 a. Auch in Konrads Goldner Schmiede 432 *wandel: mandel-kerne*, 570 *gürtel: türtel-tûbe*; vgl. *zeigen: eigen-lîchen* Ulr. v. d. Türl. Wilh. 3 a. *Swâben: Bâben-berc* Elisab. Diut. 1, 354. Eben dergleichen sonst wohl bei den Provenzalen; ob aber auch bei den Franzosen? ob für Deutschland nicht vielleicht aus der lateinischen Poesie der Zeit entlehnt? Brechungen wie *Nort quoque franciſco dicuntur nomine manni* (Grimm u. Schmeller Lat. Ged. xxiii. 226) sind wenigstens ähnlicher Art.

Gleichfalls neu und den deutschen Dichtern eigenthümlich, d. h. nicht von den Franzosen erlernt, sind der Doppelreim und der Binnenreim. Der Doppelreim bindet beide Bestandtheile einer Zusammensetzung oder volltœnenden Ableitung, z. B. *ſenderinne: ſwenderinne* vdHag. 2, 26 b. *hermelîn: ermelîn* 84 b. *minneclich: inneclich* 227 a. oder zwei getrennte Worte hinter einander, z. B. *verſinde ſich: minde mich* 2, 227 a. *nihtes niht: ihtes iht* 20 a. 21 b. *ſtreichen lât: zeichen hât* 200 b. *bernder blüete: wernder güete, güetlich lachen: müetlich machen* 26 b. *gippen gappen: hippen happen* 115 b. Auch auſser der Lyrik, z. B. *ſünden leben: ünden ſweben* Misc. 2, 219. *hêrren ſâzen: êren âzen* Renner 14 a. *kamerær: hamerær* 14 b. *fünf tûſent ir wurden, ſi gâhten im balde nâch. Wolfdietrich und die ſînen, den was ze walde gâch* Haugdietr. cod. pal. 109. Bl. 29 rw. Hier dürfte das lateinische Vorbild unzweifelhaft sein: de Contemptu mundi, Herrad v. Landsberg 160

Mundus abit ſine munditia, nec ſorde carebit
Illius hic in amicitia qui corde manebit.

Sodann der Binnenreim, durch welchen Worte die innerhalb eines Verses stehn mit innerhalb stehenden oder

Schlufsworten eines zweiten oder mit andern Worten innerhalb desselben Verses gebunden werden. Beispiele davon an allen Enden, wie um die næchst liegenden aufzugreifen die vorher angezogenen Lieder Walthers 122 und Konrads 2, 318, und überoft bei Gottfried von Neifen (vdHag. 1, 43 u. 56b ist es zugleich ein rührender Reim); das älteste, noch dem zwölften Jahrhundert angehœrige ein Lied des Herrn von Kolmas Altd. Bl. 2, 122 fg.; eines der ausgezeichnetsten aber in Ulrichs v. Lichtenst. Frauendienst 394 fg. Letztere Gedichte dactylisch-anapæstisch. Das leitet uns auf den Ursprung dieses Spieles, næmlich auch aus der mittellateinischen Poesie, aus den schlagenden und überschlagenden Reimen der leoninischen Verse: z. B. schon im eilften Jahrhundert

Ergo tui cuncti cum ſunt hoſtes nihilati,
*Partim defuncti, partim membris mutilati**);
Cumque laborum cumque dolorum ſit ſitibundus,
*Nos irritans, nos invitans ad mala mundus.***)

Wie nahe treffen damit zusammen die Verse Lichtensteins

Wol mich der ſinne die mir ie gerieten die lêre
daz ich ſi minne von herzen ie langer ie mêre,
daz ich ir êre
reht als ein wunder, ſô ſunder, ſô ſêre
minn unde meine, ſi reine, ſi ſælic, ſi hêre.

Leider sind in der neuen Gesammtausgabe unsrer Lyriker die Binnenreime häufig ganz übersehen worden, z. B. 1, 46a. 112 fg. 127a. 319b. 342. 351b. 2, 20. 51. 53 fg. 70. 94 fg. 289a.

Wir gehn über zum Strophenbau. Dreitheilige Gliederung, Zusammensetzung der Strophen aus zwei gleichen

---

*) Ruodlieb fragm. 3, 244 sq.

**) Gedicht de Contemptu mundi im Hortus deliciarum der Herrad v. Landsberg 160.

und einem dritten ungleichen Theile ist die allgemein geltende Regel der deutschen Kunstlyrik. Aber auch diese Regel wird um so unzweifelhafter nur unter Einwirkung der älteren französischen Kunst (oben S. 174) sich festgestellt haben, als sie blofs die Lieder beherscht, nicht so durchweg auch die Sprüche, blofs die Lieder wo die Franzosen Vorbild waren, nicht so die Sprüche wo die Deutschen auf sich selber standen (S. 209); als sie ferner blofs für das Kunstlied gilt, nicht für den volksmæfsigen Gesang, weshalb bei Dichtern die den Ton des letzteren nachzubilden suchen, bei Neidhard namentlich, so viel blofs zwietheilige oder gar untheilige Strophen vorkommen, und wo noch andre sich in dergleichen verlieren, auch da volksmæfsiger Einflufs anzunehmen ist; als zuletzt solch eine symmetrisch geordnete Aufführung des Strophengebäudes erst nothwendig ward sowie man durch das Beispiel eben der Franzosen eine grœfsere Anzahl reimender Zeilen häufen und verschränken lernte. Bei all dem ist nicht in Abrede zu stellen dafs wie die Lyrik überhaupt so auch dieser Theil der künstlicheren Formgebung schon vorher und schon auf nationalem Boden vorbereitet war. Die älteste Form der deutschen Strophe und Jahrhunderte hindurch die einzige Grundform derselben bestand nur aus zwei Reimpaaren, war mithin zwietheilig; ihren Ursprung hatte sie aus der Kirchenpoesie genommen; man mag sie nach dem bedeutendsten Gedichte das in ihr abgefafst worden die Otfriedische nennen. Und diese entwickelte sich auf verschiedenen Wegen zur Dreitheiligkeit. Am einfachsten durch Hinzufügung eines dritten Reimpaares: da waren zwar die drei Theile einander gleich, aber es waren doch drei Theile. Dergleichen finden sich sowohl schon im neunten Jahrhundert unter die übrigen zwietheiligen Strophen des Ludwigsliedes und des Liedes von der Samariterinn eingereiht, welche nun wohl Leiche werden zu nennen sein, als auch hin und wieder vereinzelt und selbständig für sich im elften und im zwölften Jahrhundert, z. B. (Iwein S. 329)

Dû biſt mîn, ih bin dîn:
des ſolt dû gewis ſîn.
Dû biſt beſlozen
in mînem herzen.
Verlorn iſt daz ſluzzelîn:
dû muoſt immêr dar inne ſîn.

Ungleich sodann ward der dritte Theil, indem man ihm entweder einen Refrain beigab wie in dem Mölker Lied an die heilige Jungfrau (Leseb. 1, 195 fgg.) den Ausruf *Sancta Maria*, oder man wie Spervogel die letzte Zeile verlängerte und durch festen Einschnitt in zwei Hälften brach, z. B. (vdHag. 2, 376b)

Mich hungerte harte:
ich ſteic in einen garten.
Dâ was obez innen:
des mohte ich niht gewinnen.
Daz kom von unheile.
dike wegete ich den aſt: mir wart des obezes nie niht ze teile.

Ein Kunstgriff, so einfach und zugleich von solcher Gefälligkeit, dafs von da an die Verlängerung der Schlufszeile auch bei Strophen von anderem Bau und die Brechung durch Cæsur auch an anderen Stellen der Strophe in häufiger Anwendung geblieben ist: Beispiele die Strophe von Salomon und Morolt, die Nibelungenstrophe nebst ihren mannigfachen Umbildungen, und zahlreiche Lieder namentlich des älteren Reinmar und Walthers.*) Bei den Franzosen wohl nichts der Art: denn oben in dem Refrain

*) Auch in unstrophischen Epopœien wird öfters der Schluss der Absätze durch Dehnung der letzten Zeile oder an deren Statt durch Hinzufügung noch eines dritten Reimes bezeichnet: vgl. Simrocks und meinen Walther 1, 173. 2, 124.

des Liedes Nr. 4 können *jour* und *vos* zur Noth auch einen alterthümlichen Reim bilden, und in den Refrains Nr. 30 und 48 liegen eben nichts als Bruchstücke vor.

Auf einem andern Wege erwuchs die zwietheilige Strophe zur Dreitheiligkeit, indem der Refrain die Stelle des dritten Gliedes einnahm (vgl. oben S. 181 fg.): so in dem Liede vom heil. Petrus *) die in solcher Verwendung üblichsten Worte *Kyrie eleifon*, *Chrifte eleifon*. Bei der Häufigkeit des Refrains im deutschen Nationalgesange (oben S. 203) konnte er wohl auch diese weitere Geltung und Wirkung üben; zudem giebt es noch in der Kunstlyrik wirklich mehr als ein Beispiel wo nur durch Hereinziehung des Refrains in das Strophengebäude die geregelte Dreitheiligkeit desselben hergestellt wird: vdHag. 1, 59. 61. 62b. 111a. vgl. Walth. 110.

Immer aber bleibt als næchst wirkende Ursache das Beispiel der Franzosen stehn. Und die deutsche Lyrik folgt ihm noch in mehreren andern Stücken. In der Anreimung des Abgesanges an den Aufgesang (S. 174): Heinr. v. Veldeke vdHag. 1, 38a. Hartm. v. Aue Hpt 3. Walther 13. Gottfr. v. Neifen vdHag. 1, 60a. Ulr. v. Winterstetten 161; Bernge v. Horheim 320 und der Winsbeke mit zwei Zeilen. In der Verdoppelung oder sonstigen Erweiterung des letzten Abgesangs einer Strophenreihe (S. 179) wodurch die Schlufsstrophe zum übrigen Liede in das gleiche Verhältniss tritt wie bei Erweiterung der Schlufszeile diese zur übrigen Strophe: Heinr. v. Morungen vdHag. 1, 127a.**) Walther 74. Ulr. v. Lichtenst. 415. 429. 434.

---

*) denn der metrischen Form nach ist es von dem nicht verschieden, was man ein Lied zu nennen pflegt; nur die Musiknoten der Handschrift (s. Massmanns Abschwörungsformeln, Facs. 5) characterisieren es als Leich.

**) *Dû sprichest iemer neinâ nein,*
neinâ neinâ neinâ nein: daz brichet mir mîn herze enzwei.

449. 458. 519. In dem Mangel des Geleites (S. 175) welcher trotz dieser damit verwandten Schlufserweiterung besteht und trotz dem Botendienst der in so lebendiger Weise den Verkehr mit andern Personen vermittelte (S. 208); oder etwa grade wegen dieses letzteren Umstandes? Endlich in dem Gebrauche der wenigstens bei mehreren besonders kunstbewufsten Dichtern gilt, entsprechend den einzelnen Strophen auch das ganze Lied dreitheilig aufzubauen (S. 174), ihm næmlich drei oder fünf oder sieben Strophen zu geben; der Dreizahl giebt Konrad von Würzburg, der Fünfzahl Gottfried von Neifen und der Schenke von Winterstetten, der Siebenzahl Ulrich von Lichtenstein den Vorzug. Der Truchsæfse von Singenberg scheint fünf als das regelrechte Mafs zu betrachten; nicht dafs er es selbst in all seinen Liedern innehielte: aber ganz deutlich bezeichnet er einmal (vdHag. 1, 297a) die fünfte Strophe als die nach Recht und Gewohnheit schliefsende: *Ich wil in dem vierden liede an ein ende ir muot erfpehen: der mirz noch nâch willen fchiede, daz liez ich zem fünften fehen.* Am bewufstesten aber ist diese Dreitheiligkeit der ganzen Dichtung wohl dem von Lichtenstein gewesen: er hat ein Lied (Lachm. 443 fg.) wo in der ersten und der dritten Strophe alle Zeilen je auf denselben Reim ausgehn, die Zeilen der zweiten sodann ihren Reim alle erst in der vierten finden, die fünfte endlich im Aufgesange nach Art der ersten und dritten, im Abgesange mit dem Abgesang der

---

Mahtu eteswenne fprechen jâ?
jâ jâ jâ jâ jâ jâ jâ! daz lît mir an dem herzen nâ.

Nicht unmœglich dass Morungen damit das wiederhallende *Alleluja ja ja ja* des Cantus allelujaticus (Wolf über d. Lais 30. 99. 193. 285) minniglich parodieren will. Vgl. Wizlavs *aldâ â â* vdHag. 3, 84b. Ganz so in Frankreich der Mönch von S. Denis (de la Borde 2, 201) *car quant la voi, la voi, la voi, la belle, la blonde, a li m' otroi: avoi* d. h. *euouae*, oben S. 203.

zweiten und vierten gereimt ist: also zwei parallele Stollen auch des Liedes und ein Abgesang mit Anreimung an diese Stollen. Aufserdem noch 422 fgg. einen Leich der nach einem kurzen selbständigen Vorspiele sich ebenso in drei grofsen Gliedern entwickelt; das dritte widerholt, nur überall auf das halbe Mafs herabgesetzt, Schritt für Schritt all die wechselnden Formen der beiden ersten, zuletzt auch den Schlufsreim des zweiten, und endigt, wie es der Dichter sonst in Liedern pflegt, mit einer nachklingenden Erweiterung dieses Schlufses.

Wie jedoch die deutschen Kunstdichter neben den dreitheiligen Strophen sich ausnahmsweise auch zwietheilige und ganz untheilige gestatten *), so kommen, und das sogar bei den meisten und viel häufiger als bei den Franzosen, auch zwietheilige und untheilige Lieder vor, Lieder von zwei und vier Strophen u. s. f. Hauptbeispiel ist hier gerade der grœste unter allen, Walther von der Vogelweide; so im zweiten Buche stehn neben vier Liedern von drei, sieben von fünf und wieder vieren von sechs Strophen, sechse von zweien und ganzer neun von vieren. Denn das franzœsische Muster hatte in diesem Bezug weniger augenfälliges.

Vom Leich ist bisher nur gelegentlich gesprochen worden. Jezt über dessen Verhältniss zum *lai* der Franzosen einige Worte besonders.

Der Gegensatz von Lied und Leich ist älter als die Kunstlyrik, ja überhaupt als alle Lyrik der Deutschen, wie er denn um das Jahr 1000 schon mit eben diesen Worten bezeichnet wird: *daz zesingenne getân ist alfo lied*

*) untheilige Veldeke vdHag. 1, 37b. 38. 39a. 40a. Walther 39. 79 fgg. 88 fgg. 94. Bligger v. Steinach vdHag. 1, 326a. Hartm. v. Aue Hpt 20; zwietheilige Walther 62. Hildebold v. Schwangau vdHag. 1, 281 fg. Walther v. Metz 310b. Gottfr. v. Neifen 60 u. a.

unde leicha sagt der Sanctgallische Übersetzer des Marcianus Capella (S. 105 Graff) wo es im Original *cantandi opera* heifst. Worin aber bestand der Unterschied ursprünglich? wie hat er im Zusammenwirken der nationalen und der Kirchenpoesie sich weiter ausgebildet? und was ist unter franzœsischem Einflufs in der Kunstlyrik aus ihm geworden?

Der eigentliche und ursprüngliche Unterschied beider scheint der von Gesang und Spiel zu sein, dem Spiel der Harfe næmlich, eines schon germanischen Tongeræthes. *Liuthon* heifst auf Gothisch singen; im Angelsächsischen sind *leodh* und *leodhfong*, *leodhcräft* und *fongcräft* (Sangeskunst) gleichbedeutende Worte: für das goth. *laikan* aber s. v. a. hüpfen, *laiks* Tanz, *bilaikan* verspotten ist der Mittelbegriff der des Spieles.*) Im K. Rother wird *leich* ganz deutlich nur vom Spiel der Harfe, von Harfenmelodien, und abwechselnd damit das Wort *fpil* gebraucht (172. 2504. 2514 Mafsm.); im Nibelungenliede 1939. 1944 vom Spiel der Fiedel, schon eines andern Saiteninstrumentes, aber auch nur von deren Spiel. Ebenso in folgender Stelle einer ungedruckten Erzählung (cod. pal. 341. Bl. 357 a) *dô fprach aber diu füeze reine «ich hâte niergen ein glit fô cleine, geloube mir der mære, da enfæze ûf ein videlære, und videlten alle den albleich, daz mir der finne gar entweich, daz ich enhôrte noch enfach.»* **) Und auch bei den Ausdrücken *vreuden leich* (*dô was gefwigen ir vr. leich* d. h. sie hatten keine Freude mehr: Unser Frauen Klage, cod. pal. 341. Bl. 25 c) *jâmerleich* Berth. 242 ist wohl zunæchst nur an Saitenspiel gedacht worden: vgl. *er rüeret jâmers feiten*

*) ahd. *rangleih* Ringspiel; nhd. *Laich* Fischsamen wie *fpilen* sich begatten; mhd. *leichen* foppen wie lat. *ludere*. Der Waffentanz der germanischen Jünglinge, Tac. Germ. 24, war Tanz und Spiel zugleich; über die Verbindung von Ballspiel Tanz und Musik weiter unten.

**) Dieser *albleich* erinnert an die zauberische Kunst und Kunstbegabung des nordischen Stromkarls.

ûf dirre welte harpfen, und hæret mengen scharpfen dôn ûf ir gîgen Leseb. 1, 757.

Aber wie der Marner sagt, *gedœne âne wort daz ist ein tôter galm* (vdHag. 3, 99b): das Spiel verband sich auch mit Gesange, der Leich ward wie das Lied *zesingenne getân*. Mit dem wesentlichen Unterschied jedoch dafs bei dem Liede das Wort die Hauptsache, die Melodie dem untergeordnet und das Saitenspiel blofse Begleitung war: *leudos harpa relidebat* (Ven. Fortun. Poem. lib. 1. epist. ad Gregor.); die Sangweise des Leiches dagegen abhieng von der Weise der Instrumentalmusik, und hier das Wort die Instrumente begleitete. Darum ahd. *leih* als Verdeutschung von *modus* Boeth. 169 Graff, und ebenda S. 171 und anderswô bei Notker und bei Williram die Zusammensetzung *sangleih* d. h. Spiel mit Gesange. *Lied unde leicha* in jener sanctgallischen Stelle ist mithin auf Deutsch dasselbe, was auf Lateinisch *carmina et modi* wæren.

Daran hängen sich noch weitere Unterschiede. Natürlich kam die Instrumentalmusik zumal dann in Anwendung, wenn eine grœfsere Menschenmenge sich vereint nach gleichen Rhythmen bewegen sollte, beim Tanz, beim Spiel, bei feierlichen oder kriegerischen Zügen. So hiefs nun auch Leich als Gesangstück vorzüglich solch ein Gesang, mit welchem viele zugleich der Instrumentalmusik folgten, mochte das von der versammelten Kirchgemeinde oder von tanzenden Jünglingen und Jungfrauen oder bei sonst welchem Anlafs geschehen. So bei Williram 58, 1 *sangleich* für *chorus;* so ahd. *leichôd* für *hymenæus*, mhd. *brûtleich* für *epithalamium; hîleih gihîleih* Vermählung wird eigentlich auch nur der Name des Vermählungsgesanges sein.*) Und wie ein Chorgesang sich zu ordnen pflegt,

*) Die Kaiserchronik (cod. pal. 361. Bl. 42c) erzählt von den Ringerspielen im alten Rom *Swilher danne was sô starch, daz er*

hat man sich all solche Leiche mit Refrains zu denken, mit Vor- und Nach- und Gegengesang unter die Menge vertheilt.

Hier aber scheint zwischen Lied und Leich kein Unterschied mehr zu bestehn: denn es gab neben Tanzleichen auch Tanzlieder, und auch Lieder wurden von der Menge und mit nachhallendem Gegenrufe gesungen: *ir wicliet sie sungen, sam dâ ein burc ist gewunnen* Kaiserchr. cod. pal. 361. 12a. *die burc sie gewunnen, ir wicliet sie sungen* 31b. *ingegen dem kunige sie drungen, ir wicliet sie sungen* 42b und Otfried in der Schilderung von Christi Einzug am Palmsonntage (4, 4, 53 fgg.) *Ther selbo liut guato sang gimeinmuato thesses liedes wunna al einera stimna. thaz sungun io zi noti thie fordoron. liuti. thaz selba ingegin ouh inquad thiu astera herifcaf.* Indess bei all diesem Gesang ist weder von Saitenspiel noch sonstwie von Musik die Rede: *leich* also durften der Chronist und Otfried ihn nicht nennen; und Zusammensetzungen wie die ahd. *scôfleod* Lied eines Dichters, *winileod* Lied für einen Geliebten *) zeigen deutlich genug dafs sonst allerdings mit Fortführung des Unterschiedes vom Leich als dem Gesang der Menge zu gegebener und übergeordneter Instrumentalmusik das Lied sich individuell vereinzelte, in Ursprung Bestimmung und Vortrag die Sache je eines Einzigen war, mochte der auch, wie Kœnig Ludwig in der Schlacht bei Saucourt (oben S. 203), die Zuhœrerschaft gelegentlich im Refrain mitwirken lafsen; dabei galt das Wort dieses Einen so sehr für die Hauptsache und die Musik erst für ein Hinzutretendes, dafs man Winelieder sogar aufschrieb und sich

---

den anderen dâ nider warf, der hete die êre gwunnen, daz im die vrowen ein lop sungen. Solch ein Gesang mochte gleichfalls *rangleich* heissen.

*) noch bei Nith. Ben. 32, 5 *In einer hôhen wîse siniu winelieder sang er; 40, 6 der in hôher wîse siniu wineliedel sanc.*

wie Briefe zuschickte: ein Capitulare von 789 verbot das ausdrücklich den Klosterfrauen, *nullatenus winileodes scribere vel mittere præsumant.*

Der Unterschied geht noch weiter. Eine begleitende Folge der bisher schon berührten Eigenthümlichkeiten beider Gedichtarten war dafs Lieder mit strengerer Kunst, mit sorgfältiger beachtetem Gleichmafs gestaltet wurden als Leiche, dafs man dort eine genauere Wiederkehr der gleichen Versmafse, der gleichen Strophengebäude, der gleichen Melodie sich auferlegte, hier aber auch, nur aus dem gleichen Grundton hervor, einen freieren Wechsel in der Form der einzelnen Glieder gelten liefs. Das Lied gieng also von der Strophe aus *): darum bedeutet auch diefs Wort im Altdeutschen nur s. v. a. Strophe, und ein Lied in unserem Sinne hiefs pluralisch *diu liet;* also grade wie im Griechischen μέλος und μέλη.**)

Alles diefs zusammengenommen, verhielten sich Lieder und Leiche ohngefähr ebenso zu einander wie in der Poesie der Griechen die melische Lyrik zu der chorischen.

So in der nationalen Poesie und der der Kirche, in deutscher wie lateinischer, bis nach der Mitte des zwölften Jahrhunderts; beide wirkten auch hier zusammen und eine auf die andere zurück. Allerdings hatten die Gedichte der einen und der andern Art wieder je ihr Besondres. Die lateinischen Leiche (zumeist Sequenzen) konnten sich in einem bewegteren Wechsel verschiedener Rhythmen ergehn, und war ihr Inhalt ein religiœser, so fielen sie leicht der

---

*) Ja im 12 Jahrh. schränkte sichs noch oft genug auf eine einzige Strophe ein: erst das dreizehnte dichtete bloss Sprüche einstrophig, Lieder mehrstrophig (vgl. oben S. 209), erweiterte aber jene Begrenzung meist durch grœsseren Umfang der Strophenglieder und länger ausgedehntes Mass der einzelnen Zeilen.

**) μέλος eigentlich ein Glied: ebenso das deutsche Wort: im Angelsächsischen heisst ein Glied sowohl *lidh* als *leodh*.

eigentlichen Lyrik zu; die deutschen begnügten sich die längste Zeit mit epischen Stoffen, und mufsten sich auch, solang die Sprache es nicht anders zuliefs, mit beständiger Widerholung des einfachsten Versmafses begnügen: so noch bei Dietmar von Eist (vgl. oben S. 202). Erst die Sequenz von Muri (Leseb. 1, 273 fgg.), lateinischen Mustern nachgebildet, zeigt eine Mischung längerer und kürzerer, jambischer trochæischer und dactylischer Verse, zwar nur noch schlagende, aber schon ganz genaue Reime, und dadurch so wie durch öftere Zeilenbrechung (oben S. 222) auch den überschlagenden Reim wenigstens eingeleitet; und ihr Inhalt ist nach gewohnter Art eben ihrer Muster gleichfalls schon ein lyrischer. Aber diefs Gedicht ist auch in der Scheidezeit kirchlich-nationaler und hœfischer Poesie entstanden, und hauptsächlich nur dieses sondert es von den anderweitigen Anfängen der letzteren ab, dafs es nicht am Niederrhein entstanden ist; auch die spæteren Leiche haben ihre Heimat meist im Oberland, besonders in der jezigen Schweiz: gewiss eine Nachwirkung dessen, was schon um das J. 900 Notker Balbulus mit seinen Freunden und Schülern für die lateinische Sequenzendichtung gethan.

Nun aber drang mit vollen Strœmen die Kunstlyrik der Franzosen in die deutschen Länder ein und zeigte in sich einen Gegensatz der ganz dem deutschen zwischen Lied und Leich entsprach, den Gegensatz von *ſon* und *lai*, oder mit andern Worten den von *chanſons* auf der einen, *lais* und *descorts* auf der anderen Seite. Die Chanson ward mafsgebend für die weitere Bildung des deutschen Liedes, Lai und Descort für die des Leiches.

Das Bewufstsein der Übereinstimmung des Heimatlichen mit dem Fremden und der Anschlufs an die neu gewonnenen Vorbilder äufserte sich alsbald in einer zwiefachen Sprachvermengung. Selbst verfafste man keine epischen Leiche mehr; vielleicht besafs noch das Volk dergleichen: aber da es so ähnlich klang, übertrug man das Wort auf die epischen Lais der Franzosen (Gottfr. Trist. 3508 fgg. 3583 fgg. 8063. 8618). Und unverdeutscht, nur in *leise* oder *leis* entstellt, ward *lais*, das ja auch eine Form der Kirchenpoesie bezeichnete, ein lang üblicher Name deutscher Kirchengesänge.*)

Selbst verfasste man keine epischen Leiche mehr: die ganze Dichtart gieng, wie man es bei den Franzosen vorfand, und indem man auch die Descorts ununterschieden mit für Leiche nahm, in die Lyrik über, ward ebenso individuell als früherhin fast nur die Lieder gewesen, und ebenso subjectiv als jezt die Lieder waren. Und wie die Franzosen ihre Lais und Descorts gern in den Minnesang herüberzogen, ebenso nun auch die Deutschen: zwar der älteste Leich dieser Periode, der von Heinrich von Rugge, hat noch religiœs-moralischen Inhalt, ist ein Kreuzleich wie es Kreuzlieder giebt, und auch weiterhin kommen noch dergleichen vor: aber die Mehrzahl gehœrt in den Minnegesang, und wo der von Gliers die besten Meister im Leichedichten aufzählt (vdHag. 1, 107b) spricht er so, als gæbe es gar keine andern Leiche aufser minniglichen. Damit hängt zusammen dafs die Leiche der Kunstdichter zumeist Tanzleiche sind, bestimmt zum Tanz und zum Reigen gesungen und aufgespielt zu werden, weshalb Reinmar der Fiedeler (oben S. 213) *tanzliet* und *leich* unmittelbar zusammen nennt; nur scheint in demselben Mafse, als jezo die Subjectivitæt des Dichters den Vordergrund einnimmt, der instrumentale Theil der Musik zurückzutre-

---

*) Closner und Kœnigshofen in ihrem Bericht über die grosse Geisselfahrt brauchen *leis* und *leich* abwechselnd als gleichbedeutende Worte. Oder geht *leise* wirklich eher auf *kyrie eleison* zurück? *Kyrieleis kirleis*, das in der Mitte læge, wird jedoch nur stark decliniert: Ottoc. 537a. Reinh. S. 304; Berthold 229 schreibt *kyrleyse*.

ten und eben nur noch zur Begleitung des Gesanges zu dienen, nicht wie in den älteren deutschen Leichen vom Gesang begleitet zu werden; die altnationale Harfe aber wird eben wie bei Liedern gegen die leichtere franzœsische Geige vertauscht *): gegen andre Tongeræthe kaum: es scheint blofs neckende Grofssprecherei wenn in Leichen des Tannhäusers auch von *flöuten* und *fumbern*, von *tamburæren* und *trumbunæren* die Rede ist (vdHag. 2, 85a. 89a).

Man nahm die Descorts mit für Lais. Das zeigt sich namentlich in der Art wie man nun die Form der Leiche zu behandeln pflegte. Nur wenige und wie es scheint blofs die älteren halten sich noch in einfacherer Weise, ähnlich den Lais der Franzosen und den früheren Leichen der Deutschen selbst: so aufser dem Leich des von Rugge vdHag. 3, 468a und noch mehr als dieser die zwei namenlosen 468n und p. Die andern aber, die spæteren, sind recht eigentlich lauter Descorts: Verse von den kürzesten an bis zu den längsten und allerlei Rhythmen so durch einander gemengt und solche Verschränkungen weit überspringender Schlufs- und Binnenreime, dafs man oft Mühe hat aus all der bunten Verwirrung den einen tragenden Grundton herauszulauschen, und Mühe es begreiflich zu finden, wie nicht blofs für Tanz und Reigen (da begreift es sich noch) sondern auch über geistliche Stoffe so konnte gedichtet werden. Was noch einige Gliederung in die Überfülle brachte war der Gebrauch die einzelnen Absätze zwietheilig zu gestalten; nach dem Vorgang der Franzosen: die älteren deutschen Leiche hatten davon noch nichts gewufst. Aber auch diefs sollte nur den unruhigen Character des Ganzen noch verstärken helfen: denn immer und immer

*) In Frankreich selbst scheinen auch *harpe* und *rote* die ältere, *gigue* und *viele* eine jüngere Leichmusik zu sein, so dass im Roman des Sept sages 25 *(lais de rotes et de vieles)* der Schreibfehler *nouvieles* gar nicht so übel zutrifft.

wieder fehlte nach den zwei Theilen der dritte und mit ihm der Abschlufs und die Sammlung. Und damit die Absätze ja nichts strophenartiges hätten, der Leich in allen Stücken das Widerspiel eines Liedes hielte, gestattete man sichs gern, die Rede unabgetheilt aus einem Absatz in den andern hinüberzuführen, Redesatz und musicalischen Satz in verschiedene Grenzen einzufafsen. Der Art sogar jene sonst einfacheren Leiche vdHag. 3, 468n und p; aber der Leich des von Rugge und gar der von Muri noch nicht. Man mufste auch diefs erst von den Franzosen lernen: vgl. z. B. den Marienleich Ernouls le vielle bei Wolf über die Lais S. 472. Das aber scheint eine eigenthümlich deutsche Kunst, dafs Ulrich von Lichtenstein einen ganzen Leich nach dem Gesetze der Dreitheiligkeit aufbaut: oben S. 225.

Dieser Versuch die Geschichte des Leiches kurz zu entwickeln hat uns die mittelhochdeutsche Kunstlyrik noch einmal in ihrem Verhältniss hier zu dem älteren National- und Kirchengesange der Heimat, dort zu der gleichzeitigen Kunstlyrik der Franzosen, dann auch, insofern die Leiche meist Tanzleiche sind, ihren lebendigen Zusammenhang mit den Freuden und Spielen der guten Gesellschaft zeigen können. Ähnliche Beziehungen treten uns noch bei einer andern, dem Leiche nah verwandten Dichtart entgegen, der Pastourelle, wie mit Beibehaltung des franzœsischen Namens wohl dürfte gesagt werden; nur dafs hier die Poesie der Hœfe sich enger anlehnt an die gleichzeitige des niedern Volkes, nicht so an die ältere der ganzen Nation, und der franzœsische Einflufs, weil er selbst das Leben des niederen Volkes getroffen hat, hier gewissermafsen verdoppelt ist.

Dafs sich mit Aufnahme der Hofpoesie eine davon theils verschiedene, theils damit verwandte Poesie des Volkes bildete, dafs jezt zu den Liedern und Leichen aus Geschichte und Sage der Nation episch-lyrische Volkslieder kamen, war in Deutschland eine ebenso natürliche Nothwendigkeit als dort in Frankreich (S. 165. 180), und blofs der Zufall und blofs Ungunst der Gebildeten ist Schuld dafs wir so arm an Zeugnissen darüber und an Denkmælern derselben sind. Ganz ohne solche nicht: unter Docens Spicilegien (Misc. 2) ist mehr als ein volksmæfsiges Stück, und einmal verwendet unverkennbar auch ein deutscher Dichter Verse eines Volksliedes als Refrain (vdHag. 2, 170b. vgl. oben S. 181). Wo aber dergleichen besonders entstehen mufsten, das war beim Tanz und für den Tanz, um die aufgespielte Weise in Worte zu fafsen und Sprung und Tritt der frœhlichen Menge mit ebenso frœhlichem Sange zu begleiten. Grade hier jedoch war selbst das Landvolk abhängig von Frankreich geworden: es tanzte franzœsische Tänze: all jene fremden Tanznamen die schon oben verzeichnet worden S. 195, sind entnommen aus Schilderungen des Volkslebens. Darum ganz passlich sagt Gœli oder Neidhard vdHag. 2, 80a von einem Bauern *er ſinget wol des reigen noten* (singt einen Text zu denselben): *note* das in Frankreich übliche Wort für Instrumentalweise.*)

Vorzüglich in diesem Berührungspunkte zwischen Hof und Land**) mochte für manchen Kunstdichter ein Anlafs liegen sich mehr als eigentlich die hœfische Sitte zuliefs um Volksleben und Volkspoesie zu bekümmern, Motive

*) vgl. *note* Haupt Zschr. 1, 29. Tristan a. m. O. Frauend. 422. *notel* Ottoc. 21b. *reiſenote* Parz. 63, 9. Heinr. vdTürl. 16. Rud. Gerh. 3616. Frauend. 166.

**) *hovetenzel* bei den Bauern Nith. 33, 2 Ben. Nur wurden hier die welschen Namen wie begreiflich noch mehr entstellt: die Tanzweise die man bei Hof etwas besser franzœsisch *rotruwange* oder *rotewange* nannte (Trist. 8077. Haupt Zschr. 3, 270) hiess im Munde der Bauern *ridewanz:* Nith. 41, 4; *ridewanzen* 33, 3. *ridewanzel* 52, 8. vgl. oben S. 183.

der Dichtung aus jenem zu entnehmen und Form und Ausdrucksweise dieser nachzubilden; dazu kam noch mitwirkend das Beispiel der Franzosen (oben S. fgg.). So nun Lieder in Romanzenart, die man für echte Volkslieder halten möchte, wenn sie nicht einem Meister der hœfischen Kunst, Herrn Gottfried von Neifen, beigelegt würden vdHag. b. ein andres Herrn Steinmar a; Herbstlieder, welche das volle Leben bei Wein und guter Speise schildern *), ebenfalls von Steinmar von Hadlaub 287. 288. fg. 299 fg. von einem den man unrichtiger Weise Neidhard nennt 309 fgg.; Erndtelieder wiederum von Hadlaub 289 fg. 299; Minnelieder die in Ziel und Stil sich recht geflifsentlich nach unten wenden, wie die von Steinmar und eines vom Taler, dessen Lieb in Felzen geht, dafs er ihr möchte ein Schürlitz anhenken, wære sie ihm nur zu Willen b; endlich nun auch Lieder die ihrem Inhalte nach gar wohl den Pastourellen der Franzosen zu vergleichen und sicherlich auch durch deren Vorgang mit veranlafst sind, nur dafs sie dieselben durch wechselnde Neuheit der Situation, durch frischlebendige Ausführung, durch anmuthige Naivitæt in Behandlung der natürlichen Dinge, kurz in allen Bedingnissen der Poesie so weit übertreffen, als die mittelhochdeutsche Lyrik der franzœsischen überhaupt voransteht: Beispiele bei Gottfried von Neifen vdHag. b. b. Ulrich von Winterstetten fg. Steinmar fg. Neuneu b. Johann von Brabant fg. u. a. Zwei Dinge besonders weisen für Gedichte dieser letzteren Art næchst den Motiven des heimatlichen Volkslebens auf franzœsischen Einflufs hin: dafs man auch in Deutschland Lieder

*) *Wünschet daz uns nâch sô liehtem meien komen süle richiu herbestwünne, sît die lenge künne frô nieman gesîn ân spîse, pfafen noch leien* von Bauenburg vdHag. a.

mit *dorilote*, einem Refrainwort und Namen franzœsischer Pastourellen sang (oben Nr. 48 u. S. 186. Haupts Zschr. 1, 29) und dafs der Tannhäuser zwei Pastourellen in Leichform brachte vdHag. 2, 82b. 84a, eben wie unter den Franzosen z. B. Jean Errars, de la Borde 2, 189 fgg.: nicht unschicklich, da der Leich zumal dem Tanze diente, und Pastourellen in der gewohnteren Liederform meistens auch wohl zu Tanz und Reigen gesungen wurden.

Der eigentliche Meister jedoch der deutschen Pastourellendichtung, der dem Hofe zugeführten Dorfpoesie ist Neidhard; ihm folgt eine nicht geringe Zahl von Nachahmern. Wie seine Lieder fast sämmtlich die Sommerlust des Landvolkes mit Ballspiel und Tanz *) zum Motiv oder zum durchgeführten Gegenstande haben, so hat man sie fast sämmtlich, auch wo sie nicht ausdrücklich so bezeichnet werden, sich als Tanzlieder zu denken, aber bestimmt für Tanz und Reigen seiner Standesgenofsen bei Hofe **); Leiche hat er nicht verfafst. Der innere Zwiespalt aber der ganzen Dichtart, das Widerstrebende einheimischer und fremder, törperlicher und hövischer Elemente prægt sich bei ihm bis in die Form der Lieder aus: diese schwankt zwischen Kunst und Unkunst: bald dreitheilig wohlgebaute, bald zwietheilige oder ganz untheilige Strophen, je nachdem das hœfische oder das volksmæfsige Element Oberhand gewonnen, und er mehr die Pastourellen der Franzosen oder die Lieder des Volkes selbst vor Augen hat;

---

*) Das Ballwerfen war im Mittelalter wie bei den Griechen (Od. 6, 100 fg. 8, 372 fgg.) ein mit Gesang und Tanz verbundenes Spiel: daher in den romanischen Sprachen *ballare* (*ballieren* vdHag. 1, 141b) s. v. a. tanzen, *ballata* Tanz und Tanzlied.

**) *wê wer ſinget uns ze ſumer ein niuwez minneliet? daz tuot min her Trœſtelîn und mîn hoveherre; der gehilfe ſolte ich ſîn: nu iſt der wille verre* vdHag. 2, 107a. *daz wil ich mit geſange nu den hoveliuten klagen* 108a u. a.

das Vorbild jener ist namentlich da zu erkennen, wo er gleichsam als Schritt und Sprung lange Verse und viel kürzere mischt (vgl. oben S. 183), und er liebt das. Er giebt aber mit richtigem Tacte der hœfischen Form den Vorzug wo er von sich aus darstellt und erzählt, der volksmæfsigen wo er nach Art der mimischen Poesie die Mædchen und die alten Weiber durch Wechselrede sich selber schildern læfst; die franzœsische Pastourelle thut stæts das erstere.

Den feiner und den einseitiger organisierten Dichtern konnte diese Dorfpoesie nur ein Anstofs sein. Walther, der selbst nur von fern und mit zartester Veredelung an die ganze Richtung streift (vgl. das Lied vom glæsernen Ringe 49. das Nachtigallenlied 39. die Tanzweise 74) beklagt 64 fg. und bezeugt mit dieser Klage die grofse Gunst welche Frau Unfuge (so personificiert er die unhœfische Dichtart) bei Hofe genofs: *wurden ir die grôzen höve benomen, daz wær allez nâch dem willen mîn. bî den bûren liez ich ſi wol ſîn: danne iſt ſi och her bekomen.*

VI.

Die vorige Abhandlung hat der geschichtlichen Wahrheit zu Lieb dem Ruhme der altdeutschen Litteratur mehr entzogen, als der bloſsen Vaterlandsliebe genehm sein möchte. Zu einer Art Vergutung und Ersatzes will ich jezt noch den Zusammenhang besprechen der zwischen der mittelhochdeutschen und der alten Lyrik Italiens zu bestehen scheint. Der Gegenstand liegt schon hinaus über das eigentliche Ziel unsers Weges: die Erörterung muſs sich deshalb kürzer faſsen.

Bis gegen die Zeiten Dantes waren der Norden und der Süden Italiens in litterarischer Beziehung streng von einander geschieden. Jener besaſs noch kaum eine eigene Litteratur: epische Gedichte und Gedichtstoffe kamen aus Frankreich dahin *); Lehrgedichte verfaſste man selbst theils in franzœsischer, theils in deutscher Sprache **);

---

*) vgl. die von Spielleuten zu Mailand und Bologna gesungenen Lieder auf Roland und Olivier und die andern Helden der Kärlingischen Sage, Muratori Antiq. Ital. 1, 844. *Allegat ergo pro ſe lingua Oil quod propter ſui faciliorem ac delectabiliorem facultatem quicquid redactum ſive inventum eſt ad vulgare proſaicum* (in den unstrophischen Formen der Epik) *ſuum eſt, videlicet biblia cum Trojanorum Romanorumque geſtibus compilata et Artui regis ambages pulcherrimæ et quam plures aliæ hiſtoriæ ac doctrinæ* Dante de Vulgari eloquio 1, 10.

**) in franzœsischer Thomasin von Circlara sein Buch von der Hœfischeit und seine Lehre wider die Falschheit (Welsch. Gast 1, 9. 10) und Brunetto Latini, der Lehrer Dantes, seinen Trésor: vgl. die

die Lyrik aber war durchaus provenzalisch, ward von Provenzalen auf italiænischem Boden, von Italiænern in provenzalischer Sprache geübt *), und dieses Muster wirkte auch dann noch fort, als man bereits gelernt hatte italiænische Lieder dichten.**) Man lernte das erst vom Süden her.

Der Süden, næmlich Sicilien mit Neapel, hatte schon im Beginn des dreizehnten Jahrhunderts seine eigne hœfische Kunstlyrik; Dante selbst und Petrarca erkennen es an dafs die sicilianische Kunst der toscanischen vorangegangen, dafs alle Poesie in der heimatlichen Sprache Italiens von dorther entsprungen sei. *Siquidem illustres heroes Federicus Cæsar et bene genitus eius Manfredus, nobilitatem ac rectitudinem suæ formæ pandentes, donec fortuna permansit, humana secuti sunt, brutalia dedignantes; propter quod corde nobiles atque gratiarum dotati inhærere tantorum principum maiestati conati sunt, ita quod eorum tempore quicquid excellentes Latinorum* (Italiæner) *nitebantur primitus in tantorum coronatorum aula prodibat, et quia regale solium erat Sicilia, factum est, quicquid nostri prædecessores vulgariter*

---

doctrinæ der eben angeführten Stelle; in deutscher Thomasin seinen Welschen Gast. Freidank soll, von Kaufleuten nach Treviso berufen, dort sein Leben beschlossen haben: Haupts Zeitsch. 1, 30 fg.

*) Diez, Poesie d. Troubadours 274. Ein Bild in Thomasins Welschem Gast (zu 1, 10) stellt ein Weib in der Mitte dreier Männer dar, deren einen sie freundlich anblickt, den andern bei der Hand ergreift, dem dritten auf den Fuss tritt: wohl Beziehung auf ein Liebesabenteuer und eine Tenzone Savarics von Mauleon (Raynouard 2, 199 fgg. Diez, Leben u. Werke d. Troubadours 404 fg.), obschon die gleiche Situation bereits bei griechischen und rœmischen Dichtern vorkommt.

**) So bekennt Dante selbst de Vulg. eloq. 2, 10 die Form der Sestine dem Provenzalen Arnaut Daniel abgesehn zu haben, und die Cento novelle antiche zeigen fast Seite um Seite wie noch im Beginn des 14 Jahrh. die vertraute Bekanntschaft mit provenzalischem Leben und Dichten fortbestand.

protulerunt Sicilianum vocatur; quod quidem retinemus, et nos nec posteri nostri permutare valebunt Dante de Vulg. eloq. 1, 12. *i Siciliani, che fur già primi* Petrarca, Trionfo d'Amore 4, 36.

Diese Lyrik Siciliens nun, die Mutter aller italiænischen Lyrik, ist sie frei und unabhängig ihrem Boden entsprungen? ist auch sie erst durch fremde Einwirkung erweckt worden? Und wenn man schon ihres spæteren Auftretens wegen von vorn herein die Unselbständigkeit behaupten darf, von welcher Fremde hängt sie denn ab? Nicht von irgend einer romanischen, obgleich die Strœmung der romanischen Poesie noch weiter nach Südosten reichte und Sagen des Westens und des Nordens sogar bis nach Griechenland trieb. Nicht von der franzœsischen noch von der provenzalischen. Jene hätte kaum früher als seit Karl von Anjou wirken können, zwei Menschenalter nach den ersten Dichtern Siciliens; mit dieser, die unmittelbar næher lag, ist zwar in mancherlei nicht unbedeutenden Einzelheiten die Übereinstimmung unläugbar: aber irre ich nicht, so tritt dergleichen erst bei den norditalischen Nachfolgern der Sicilianer häufiger und mit Sicherheit hervor, nicht schon bei den Sicilianern selbst, und noch die Poesie jener Nachfolger hat gar manches das wieder nicht zum Provenzalischen stimmt. Es giebt eben noch einen dritten Weg auf welchem die Lyrik des Mittelalters bis nach Sicilien gelangen konnte um spæterhin von da aus auch Toscana einzunehmen, und aus diesem erklært sich beides zugleich, sowohl die Abweichungen der altitaliænischen von der provenzalischen Kunst als auch der Mehrtheil dessen was sie von letzterer scheint erlernt zu haben. Dieser Weg gieng von Deutschland her; er mündete durch den deutschen Hof in Palermo und Neapel.

Es waren hinter einander vier deutsche Fürsten denen diefs Reich gehorchte, Heinrich, Friedrich, Konrad und

Manfred, alle vier theils Gönner der deutschen Kunst, theils sogar selbst Dichter in deutscher Zunge. Von Heinrich haben sich noch zwei Lieder erhalten; ebenso von Konrad *); wie gewogen Friedrich, obschon von Geburt er selbst kein Deutscher mehr, dem Gesange seines Heimatlandes war zeigt uns als erstes Beispiel Walther von der Vogelweide; und von Manfred wifsen wir durch einen nicht viel spæteren Chronisten (Ottocar Cap. 4 u. 8) dafs zum Verdrufs und Hohn der Welschen eine Unzahl deutscher Meister und Fiedler sein bevorzugtes Gefolge bildeten. Stand es so am sicilianischen Hofe noch zu Manfreds Zeit, wie viel mehr müfsen da unter seinem Vater und seinem Grofsvater deutsche Rede und Sang und Saitenspiel der Deutschen gegolten haben? Der Schlufs ist einfach, mag er auch mit historischen Zeugnissen nicht zu belegen sein. Doch giebt es deutsche Lieder von jenem Diepold Markgrafen von Hohenburg, der Heinrichs Feldherr und nach dessen Tode Friedrichs Statthalter im Kœnigthume war.

Also in welschem Lande ein deutscher Hof mit deutscher Poesie. Und eben dieser Hof, der Hof Friedrichs und Manfreds, *tantorum coronatorum aula*, wird ausdrücklich als der Sitz und Ursprung auch der sicilianischen und aller italiænischen Lyrik bezeichnet. Wære es da nur gedenkbar, dafs die deutsche Kunst nicht auf die italiænische, die ältere schon gebildete nicht auf die junge sich erst noch entwickelnde sollte eingewirkt und fortgewirkt haben?

Früher schon war von Deutschland aus das Turnierwesen nach Italien gebracht worden, und eben jezt kam durch Vermittelung deutscher Meister auch der gothische

*) wenn nicht von Konrads Sohne Konradin; nur sollte man für diesen nicht grade geltend machen dass es in einem Liede heisse, er sei der Jahre noch ein Kind: sein Vater war ja auch einmal jung gewesen. Letzterer bewährte sich jedesfalls an dem Hardegger, an Br. Wernher und Rudolf von Ems als Dichterfreund.

Stil der Architectur. Ganz so waren diese zwei Künste auch dem Überschritt der Lyrik von Frankreich nach Deutschland voran und mitgegangen.

Zwar in Norditalien, als die neue Poesie sich bis dahin verbreitete, stiefs der deutsche Einflufs mit provenzalischem zusammen: characteristisch genug nennt da ein Zeitgenofse Manfreds, Folgore da San Geminiano, næchst Pferden aus Spanien und franzœsischer Kleidung als weitere allbeliebte Vortrefflichkeiten provenzalischen Gesang und Tanz zu deutschen Instrumenten: *cantar danzar alla provenzalefca con iftrumenti novi d'Alemagna* (Poeti del primo secolo 2, 175). Aber auch da und auch so überwog in allen wesentlicheren Stücken das deutsche Element, und der Norden baute fort auf dem Grunde welchen der Süden und dieser nach deutschem Vorbilde gelegt hatte.

Mit dargethaner Entlehnung deutscher Dichtergedanken læfst sich freilich der deutsche Einflufs nicht beweisen, wie eben dergleichen auch da, wo es sich um die Abhängigkeit der deutschen von der franzœsischen, der franzœsischen von der provenzalischen Lyrik handelt, der schwächere Theil der Beweisführung ist. Wenn z. B. Jacopo da Lentino singt *Senza madonna non vi (in paradifo) vorria gire, quella ch'ha bionda tefta e chiaro vifo, che fenza lei non poteria gaudire, iftando dalla mia donna divifo* Poeti d. pr. sec. 1, 319 und ähnlich Wachsmuth v. Mühlhausen *Mir wære é liep bí ir ze fíne dan bí gote in paradís* vdHag. 1, 327a. Ulrich v. Lichtenstein *Daz ich in dem paradífe niht fô gerne wiffe mînen líp als dâ ich der guoten folde fehen in ir ougen minneclichen* Lachm. 583; oder Mateo di Ricco *Ma vadomi alegrando fi come fa lo cigno quando more, che la fua vita termina in cantando* P. d. p. s. 1, 322 und in Deutschland Heinrich v. Veldeke *Gefchihet mir alfô dem fwane der dâ finget fô er fterben fal, fô vliufe ich ze vil dar ane* vdHag. 1, 39b; oder endlich Guido Guinicelli

Che adesso com fu il sole, si tosto lo splendore fu lucente; ne fu davanti il sole P. d. p. s. 1, 91 und mit derselben Unterscheidung von Tag und Sonne Wolfram *Man unde wip diu sint al ein, als diu sunn diu hiute schein und ouch der name der heizet tac: der enweder z sich gescheiden mac: si blüent ûz eime kerne gar* Parz. 173, 2. 3 (vgl. Anm. zu Walther v. d. Vogelweide 2, 135): so liegt in diesem Zusammentreffen der Gedanken eben so wenig eine Entlehnung von Deutschland nach Italien, als eine von der Provence aus darin liegt, wenn italiænische wie provenzalische Dichter verlorene Mühe ein Sæen in das Meer oder in den Meersand nennen: Ciullo d'Alcamo *Lo mar potresti arrompere avanti a semenare* P. d. p. s. 1, 1. Onesto Bolognese *Assai son certo che sementa in lidi e pon lo suo color senza vernice qualunque crede che la calcatrice prender si possa dentro alle mie ridi* 2, 150. provenzalisch Peter von Auvergne *Et es plus fols mon escien que sel que semena arena, qui las (dompnas) blasma ni lor valor* Rayn. 4, 7. Denn solcherlei Bilder und Sprichwörtlichkeiten stoben als Gemeingut Aller den Dichtern des Mittelalters von selber zu; wie denn die Vergleichung mit dem sterbend singenden Schwane auch provenzalisch (Rayn. 3, 271), die mit dem besæten Meersand auch franzœsisch ist (de la Borde 2, 158) und auch Provenzalen und Franzosen der Geliebten den Vorzug noch vor dem Paradiese geben (Rayn. 3, 121. Roi de Navarre 38. Aucasin et Nicolette Barb. u. Méon 1, 385), die Unterscheidung aber von Sonne und Tag ihren Grund in einer mythologischen Anschauung hat: vgl. Jac. Grimms Mythol. 699. Zudem bedurften die Italiæner der Aufnahme fremder Gedanken vielleicht weniger als irgend ein andres Volk: getrieben von einem wohlorganisierten Geiste, umgeben von aller Grœsse und Lieblichkeit der Natur und von einer bewegten Strebsamkeit in Kunst und Wissenschaft und Handel und Gewerbe, getragen und gehoben von den unverlornen Erinnerungen einer grofsen Vorzeit, vermochten sie ganz von sich aus zu jener zarten Färbung, jenem feinen Duft zu gelangen die an ihren Liedern haften und zu mehr als einer ungetheilten Eigenthümlichkeit des Gehaltes: letzterer Art sind namentlich die häufigen Bezüge auf das Schifferleben und auf die Kunst der Malerei.

Aber die Formgebung, aber fast die gesammte Technik kam ihnen aus der Poesie der Deutschen, und solchem Einflufse mufsten sie sich um so mehr öffnen, als ihre Lyrik, welche die Kœnige selbst, Friedrich und Enzio mitdichtend erschaffen halfen, von vorn herein auf das entschiedenste eine Kunstlyrik, eine Lyrik des Hofes war und gleich im Anfang und für immer getrennt von der Poesie des Volkes: Ciullo d'Alcamo, der älteste Name von allen, ist auch der einzige der noch in Gehalt und Form den Ton des Volkes mehr als den hœfischen anklingt; wenn spætere Dichter, z. B. Giacomino Pugliesi, Mateo di Ricco, Jacopo da Lentino, einzelnen Liedern gleichfalls dialogische Fafsung geben, oder wie Odo delle Colonne monologische aus Weibesmunde, so ist das hier keine Volksmæfsigkeit mehr, da Beispiele dieser epischen Objectivierung grade bei den bestimmenden Mustern, den älteren deutschen Lyrikern, in Häufigkeit vorlagen (oben S. 202). Und den Refrain, dieses Hauptmerkmal des Volksgesanges, kennt die altitaliænische Dichtkunst gar nicht. In solcher Weise über den nationalen Grund und Boden sich selber wegsetzend, war sie zum Anschlufs an ein Vorbild der Fremde, das zudem im eignen Lande gegeben ward, genœthigt und befæhigt; und umgekehrt, weil sie diesem folgte, konnte sie von jenem sich ablœsen.

Gleich der Name welchen die Dichter führten weist nach Deutschland zurück: zwar dichten heifst öfters *trovare* (z. B. unten S. 246), und das mag aus dem Provenzalischen kommen, obschon der Ausdruck ebensowohl deutsch ist (*finden* oben S. 212): die Dichter jedoch nannte man nicht *trovatori*, sondern *dicitori* (z. B. Poeti d. pr. sec. 1, 420) mit buchstæblichem Anklang an das deutsche *tihtære*. Auch *dictare* und *dictator*, die Grundworte zu *tihten* und *tihtære*, scheinen in dieser Bedeutung besonders der Latinitæt Deutschlands und Italiens eigen zu sein.

Die augenfälligsten Übereinstimmungen in der Technik sind nunmehr folgende, Übereinstimmungen welche die italiænische Lyrik unverkennbar abhängig von der deutschen zeigen.

Die drei Hauptformen der deutschen Lyrik sind Leich Lied und Spruch; dieser ganz ihre eigene Schöpfung und ohne Vorbild im Westen: es wifsen davon weder Provenzalen noch Franzosen: vgl. oben S. 209 u. 229. Bei den Italiænern nun aufser Leichen und Liedern oder Canzonen (die ersteren sind seltner und tragen darum auch keinen eigenen Namen) ebenfalls Sprüche d. h. Gedichte die mit einer einzigen, aber umfangreicheren Strophe abgethan sind und gern aus der reinen Lyrik hinübergreifen in das Didactische. Ich meine das Sonett. Für Leich und Lied galt auch hier die Nothwendigkeit stæts neuer Formerfindung; die Freiheit aber der öftern Widerholung einer selbstgeschaffenen Spruchform welche sich die Deutschen nahmen (Reinmar von Zweter verfafste sogar all seine Sprüche in einer und derselben; vgl. S. 212) ward für das Sonett bis dahin erweitert, dafs seine Form in den Gemeinbesitz aller Dichter übergieng, und der Einzelne sein Recht und seine Pflicht etwa nur noch in einer neuen Abänderung der Reimfolge und vielleicht durch Anfügung einer neugestalteten *coda* übte. Ob die Grundform selbst von einem bestimmten deutschen Muster ausgegangen? Jedesfalls kommen ihr manche altdeutschen Sprüche nah genug, und Hildebold von Schwangau vdHag. 1, 281 fg. braucht eine zwietheilige Liedstrophe, die ganz so gebaut ist wie regelrechter Weise der

Aufgesang eines Sonettes, nur dafs die Verse dactylischen Rhythmus haben. Die ältesten Sonette mœgen die von Lodovico della Vernaccia (um 1200) und von Petrus de Vineis, dem Kanzler Friedrichs II, sein: Poeti d. pr. sec. 1, 18. 53.

Das getheilte Spiel oder Streitgedicht, diese den Provenzalen und Franzosen so beliebte Abart des Liedes, war den Deutschen in den befseren Zeiten ihrer Lyrik und auch spæterhin noch fremd (oben S. 207): so nun auch bei den Italiænern kein einziges Beispiel; das Wort *tenzone* kennen sie: aber es wird ohne allen Bezug auf eine so geheifsene Dichtart nur eben so gebraucht wie von unsern Lyrikern das deutsche *widerstrît*, z. B. (ich führe die Stelle noch darum an, weil sie ein Liedesanfang ganz nach deutscher Art und doch sicherlich unentlehnt aus dem Deutschen, nur ein italiænischer Beleg der allgemeinen Dichtweise des Mittelalters ist) von Rinaldo d'Aquino, P. d. p. s. 1, 223

Confortami d'amare
l' aulimento de' fiori
e 'l canto degli augelli.
Quando lo giorno appare,
sento li dolci amori
e li versi novelli,
Che fan si dolci e belli e divisati
lor trovati a provagione;
a gran tenzone stan per gli arbuscelli.

Desto geläufiger war den deutschen Lyrikern das Tanzlied (oben S. 234 fgg.); hier besonders fand der Refrain (S. 203) seinen Platz; Ulrich von Lichtenstein aber vertauscht einmal den Refrain gegen einen Reimbund der Strophenschlüfse, Lachm. 449 fg. Ganz das gleiche Verfahren ist die bezeichnende Eigenthümlichkeit des italiænischen Tanzliedes, der *ballata*, geworden: vgl. Poeti d. pr. sec. 2, 96. 109. 118; den Refrain selbst haben wie gesagt die Italiæner nirgend. Also ihre *ballata* ganz anders gestaltet als die *balada* der Provenzalen; selbst der Name braucht nicht von diesen entlehnt zu sein: vgl. oben S. 236 Anm.

Die ursprüngliche Unabhängigkeit der altitaliænischen Lyrik von der provenzalischen und dafür ein næheres Zusammenstimmen mit der altdeutschen zeigt sich auch in Betreff des Geleites. Den Provenzalen ist die *tornada* eine ganz häufige und geläufige Sache, seltener schon den Franzosen, den Deutschen aber durchaus ungebräuchlich (oben S. 224). Ebenso nun auch den Sicilianern: sie widmen dieser Schlufswendung, wo sie vorkommt, noch die ganze letzte Strophe: vgl. Ital. Lieder d. Hohenst. Hofes in Sicilien *) 22 fg. 54. 55 fg. und das entstellte Beispiel auf S. 21. Erst die Toscaner, bei denen die sicilianische Poesie auf provenzalische Nachbarschaft und Überlieferung traf, brachten auf Anlafs letzterer den *commiato* auf, eine Anhangsstrophe von gleicher Ausdehnung und Form wie der Abgesang der vorhergehenden.

An das Geleite grenzend ist die deutsche Erweiterung des Liedschlufses, oben S. 223 fg. Auch diese bei den Italiænern, sie heifst ihnen *códa;* seltner in Canzonen: ein Beispiel wo solch eine Coda das Geleite vertritt Ital. Lieder 52; häufig dagegen in Sonetten, deren regelrecht abgeschlofsene Form den minder gewandten Dichter leicht beengen mochte. Hier steigt die Zahl der erweiternden Verse von zwei Hendecasyllaben (Poeti d. pr. sec. 1, 428 fg. 2, 271) bis auf sechs: 2, 62 fg.; ein Sonett von Monte Andrea 2, 42 fügt gar schon zum Aufgesange zwei Hendecasyllaben.**) Schlufserweiterungen deutscher Sprüche bei Walther 38 (vgl. 36) u. 157.

---

*) Stuttgart 1843, Wiederabdruck aus den Discorsi des Rosario di Gregorio, Palermo 1821. Ich citiere nach dieser Sammlung nur weil mir die Florentinischen Poeti d. pr. secolo (1816) nicht mehr zur Hand sind: sie wimmelt von Fehlern aller Art.

**) Der moderne Gebrauch duldet als Códa des Sonettes nur ein oder mehrere *ternarj* und als deren Anfangszeile stæts nur den *set-*

Nach diesen Bemerkungen über Art und Bau der ganzen Gedichte noch einige über Vers und Reim und Strophenbau.

Das älteste sicilianische Gedicht, ein dialogisches Lied von Ciullo d'Alcamo (1197. P. d. p. 1, 1—15), bildet seine Strophen aus zweierlei Versen:

Rosa fresca aulentissima, ch' appari in ver l'estate,
le donne te disiano pulzelle e maritate.
traemi d'este focora, se t'este a bolontate,
perchè non aio abento notte e dia
pensando pur di voi, madonna mia.

Das älteste und wie schon bemerkt ein sehr volksmæſsig gehaltenes Gedicht, so daſs man annehmen darf zwei gleich nationale Versarten hier vereinigt zu sehen. Zuerst ein Alexandriner mit gleitender Cæsur, wie zwar die Franzosen ihn nicht bauen, wie er jedoch häufig im alten Cid vorkommt; die Italiæner mochte zur Durchführung derselben das Beispiel des s. g. politischen Verses der benachbarten Griechen veranlaſsen, der auch wohl eher so denn als jambischer Tetrameter gemeint ist. Und zweitens der Hendecasyllabus, dieser ein Gemeingut aller Romanen, auch der Provenzalen, auch der Franzosen. Beide Verse blieben bei der kunstmæſsigen Weiterbildung der Poesie bestehn. Der Hendecasyllabus unabgeändert: denn diesen brauchten ja auch die deutschen Lyriker; der Alexandriner dagegen, den letztere zumal in solcher strengen Meſsung nur selten gebrauchten (oben S. 214) ward mit Vertauschung der Cæsur gegen einen schlagenden oder überschlagenden Reim und des gleitenden Ausganges gegen einen weiblichen in zwei kleinere Verse zerlegt, wie auch die Deutschen sie liebten: daher nun der *settenario*, er und der *endecasillabo* fast die einzig üblichen Verse der italiænischen Dichtkunst.

---

tenario: Fernow 2, 786. Die längste Coda der Art möchte ein venezianisches Sonett von Pietro Antonio Novelli haben (Collezione delle migliori opere scritte in dialetto veneziano 12, 127—129): sie besteht aus nicht weniger als 39 Versen.

Ciullos Lied hat noch ganz unsymmetrischen Strophenbau: die weitere Kunstlyrik folgte in Canzonen und Sonetten unverbrüchlich dem Gesetze der Dreitheiligkeit, wie die deutschen Muster (die provenzalischen nicht) es vorhielten, und folgt ihm unverbrüchlich noch auf den heutigen Tag. Am einfachsten noch und mit dem wenigsten Scheine der Kunst zeigt sich die Dreitheiligkeit zuerst bei Gottfried von Viterbo; zwar in lateinischen Versen: aber der Dichter ist ein Italiæner und gebildet in Deutschland und im Dienste deutscher Kœnige, Konrads, Friedrichs und Heinrichs von Sicilien lebend: er verbindet mit leoninischem Reime je zwei Hexameter und einen Pentameter zur Strophe, z. B.

Imperii ſidus, plaudunt tibi menſis et idus;
Metra tibi fidus regalia dat Goteſridus,
Quæ tibi ſæpe legas, ut bene regna regas.

Sodann in der sicilianischen Urform der Ottave, die ebenfalls nur zwei Reime hat, jedoch in acht Hendecasyllaben und überschlagend: auch die älteren deutschen Lyriker brauchten gerne nur zwei wechselnde Reime (oben S. 217). Ich gebe ein Beispiel aus Crescimbeni 1, 363, das in seiner Sprachenmischung gelegentlich auch für Italien den Bezug der Vulgarpoesie zu der lateinischen und zugleich ein früher (S. 243) besprochenes Redebild belegt.

Suſpiria in hac nocte receſſerunt
e andaro a ritrovar la mia reina.
In gremium ſuum ſalutaverunt
„dio vi mantenga, donna pellegrina!“
Nihil reſpondens, reverſi fuerunt,
a mi ſi ritornaro la mattina;
hoc tantum verbum mihi retulerunt
„tu zappi l'acqua e ſemini l'arina.“

Die Italiæner nennen jegliche Strophe *ſtanza*, ein Zimmer, ein Haus. *Et circa hoc ſciendum eſt quod hoc vocabulum per ſolius artis reſpectum inventum eſt, videlicet ut in quo tota cantionis ars esset contenta, illud diceretur stantia h. e. mansio capax vel receptaculum totius artis. nam quemadmodum cantio est gremium totius sententiæ, sic stantia totam artem ingremiat* Dante de vulg. eloquio 2, 9. Wohl auch dieses auf deutschen Anlafs: die Auffafsung des Dichtens und überhaupt aller in Gedanken und Form abgeschlofsenen Rede als eines *zimbers* hat vielleicht nirgend so herkömmlich fest gestanden als in der altdeutschen Poesie (in der griechischen liebt sie Pindar): vgl. Wolfr. Parz. 338, 14. 369, 10. Frauenlob Ettm. Spr. 134. Krieg auf Wartb. vdHag. 2, 10b. Lohengr. S. 192. besonders aber hervorzuheben, weil es da ein Italiæner ist der mit Ausführlichkeit in die deutsche Anschauung eingeht, Thomasin in der gereimten Vorrede zum Welschen Gast *Doch ist er ein guot zimberman, der an sinem werke kan stein unde holz legen wol da ez von rehte ligen sol. daz ist untugent niht, ob ouch lihte mir geschiht daz ich in mins getihtes want ein holz daz ein ander hant gemeistert habe lege mit list, daz ez gelich den andern ist.* Also die Strophe gleichsam ein Zimmer: am anschaulichsten so in der Ottave wo sich vier Reimpaare gleich den vier Wänden zusammenstellen; weshalb auch der Name *stanza* vorzugsweise von dieser gilt. Bei weiter ausgebildeter Dreitheiligkeit und schon dort in der einfacheren die Gottfried von Viterbo kennt, gleicht die Strophe eher nur zwei Pfosten mit darüber gelegtem, davon getragenem Dache: daher für die zwei gleichen Theile der deutsche Kunstname *stollen*, der italiænische *piedi*. Der provenzalischen Poesie fehlt mit dem Gesetze der Dreitheiligkeit auch diese Versinnlichung desselben.

Die weitere Ausbildung der Dreitheiligkeit beruht auch für die italiænische Poesie in der Vermehrung der Zeilenzahl und der symmetrischen Mischung verschiedenartiger Verse und Reime. Dabei wird eben wie öfters von deutschen Dichtern (oben S. 223) der Abgesang gern an die beiden Stollen angereimt, indem seine Anfangszeile den Schlufsreim derselben noch einmal aufnimmt: vgl. Ital. Lieder 33 und spæterhin Petrarcas Canzonen.

Es giebt aber, was wiederum nur deutsch und eben nicht provenzalisch ist, jede Strophe der Canzone ein für sich abgeschlofsenes Reimsystem: Fortführung eines Reims durch die entsprechenden Zeilen aller Strophen kommt hier wie in der deutschen Lyrik (oben S. 216) nur als seltnere Ausnahme vor, Poeti d. pr. sec. 1, 183. 253. 443; als Regel blofs beim Tanzliede: oben S. 246. Öfter wird ein andres Mittel angewendet um Strophe mit Strophe und alle in der rechten Folge als Theile eines Ganzen zu vereinigen, die Widerholung des Schlufswortes der ersten im Beginn der zweiten, und so fort: P. d. p. s. 1, 44. 47. 51. 78. Ein Kunstgriff für den es gleichfalls deutsche Muster gab, nicht blofs provenzalische (oben S. 171 fg. u. 217).

Endlich bleiben noch zwei Reimkünste die ganz entschieden deutschen Ursprunges, die zuerst von deutschen Lyrikern sind aufgebracht worden (oben S. 218 fg. 219 fg.): der gebrochene Reim, z. B. *giovi-di: provi* Poeti d. pr. sec. 2, 144; und der Binnenreim, bei den Italiænern von Anfang an so überaus häufig, dafs ich verlegen bin Beispiele anzuführen: aufser jenen auf S. 246 scheinen nur noch zwei am Platze, deutsche und aus einer nichtlyrischen Dichtung, aber von einem Italiæner: *Si blendet wîsen mannes muot und schendet sêl lîp êr und guot* und *Swer bitet umb ein kleine dinc, er tritet ûz der zühte rinc* Thomasin im Welschen Gast 1, 9 u. 10. Ob auch der Doppelreim (oben S. 219) in die Poesie Italiens Eingang gefunden? Thomasin hat einmal einen solchen: *Ouch sol an diumuot mâze wesen, daz uns diu blœde lâze gnesen* 8, 2. Ein Spruch mit dessen Anführung ich die ganze Arbeit gern beschliefse.

INHALT.

ZWEIUNDFUNFZIG ALTFRANZŒSISCHE LIEDER UND LEICHE

aus der Handschrift zu Bern.

Seite

ABHANDLUNGEN.

Bemerkter Druckfehler.

S. 202 Z. 9 ist *Lied* in *Leich* zu bessern.

So eben ist in der Unterzeichneten erschienen und in allen Buchhandlungen zu haben:

Franzœsische Staats- und Rechtsgeschichte

von

L. A. Warnkœnig

und

L. Stein.

I. Band. Staatsgeschichte.

Preis: fl. 6. 24 kr. oder Rthlr. 4.

Wir beehren uns das Erscheinen des ersten Bandes eines Werkes anzuzeigen, das, schmeicheln wir uns, den Rechtsgelehrten, Staatsmännern und Historikern sehr willkommen sein dürfte. Eine französische Staats- und Rechtsgeschichte ist ein längst gefühltes Bedürfniss und zwar selbst in Frankreich. Kein deutscher Gelehrter nun hatte mehr Beruf eine solche zu schreiben als der nunmehrige Professor Dr. Warnkœnig in Tübingen, dem ein fast zwanzigjähriger Aufenthalt in einst französischen Provinzen, viele Reisen nach Frankreich, die enge Verbindung mit den berühmtesten französischen Rechtsgelehrten und Historikern und geschichtliche Studien über belgisches Recht die Lösung einer solchen Aufgabe möglich machen mussten. Der grosse Umfang des Gegenstandes bestimmte ihn jedoch die Bearbeitung der Geschichte des *Criminalrechtes* und des *Prozesses* einem jüngern deutschen Gelehrten, Herrn Dr. *Stein* in Kiel, der dieser Studien wegen ein Jahr in Paris verweilt hatte, und sich durch verschiedene Schriften über französische Zustände bekannt gemacht hat, zu überlassen.

Das Werk erscheint in drei Bänden, deren erster, nur die *Staatsgeschichte* enthaltend, jetzt die Presse verlässt. Binnen Jahresfrist werden der zweite, die *Geschichte der Rechtsquellen* und des *Privatrechtes* enthaltend, so wie der von Herrn Dr. Stein bearbeitete dritte folgen, was wir um so bestimmter versprechen können, da das ganze Manuscript in unsern Händen ist.

Die Staatsgeschichte beginnt mit den celtischen Zeiten und endigt mit 1789 und enthält, in ihre natürlichen Perioden zerlegt, in wie weit es für die Kunde der Staats- und Rechtsentwicklung nöthig ist, in jeder eine Übersicht der politischen Geschichte, dann die Darlegung des Umfangs von Frankreichs und sehr ausführlich die Staatsverfassung und Staatsverwaltung, wobei besonders genau die ständischen Verhältnisse, die Gerichtsverfassung und Finanzverwaltung beleuchtet sind.

Der typographisch elegant ausgestattete Band enthält ausser 42½ Druckbogen Text und 4½ Bogen Urkundenbuch im grössten Octavformat 5 besonders gedruckte genealogische Tabellen und zwei Geschichtskarten, die eine die Niederlassungen der Franken, Ost- und Westgothen, Alemannen und Burgunden im römischen Gallien, die andere die zwölf ältesten Provinzen Frankreichs nebst den Eroberungen Ludwigs XIV darstellend.

Basel im Januar 1846.

Schweighauser'sche Buchhandlung.

Lightning Source UK Ltd.
Milton Keynes UK
UKHW010651211218
334353UK00007B/246/P